ジョン万次郎
琉球上陸の軌跡

神谷良昌

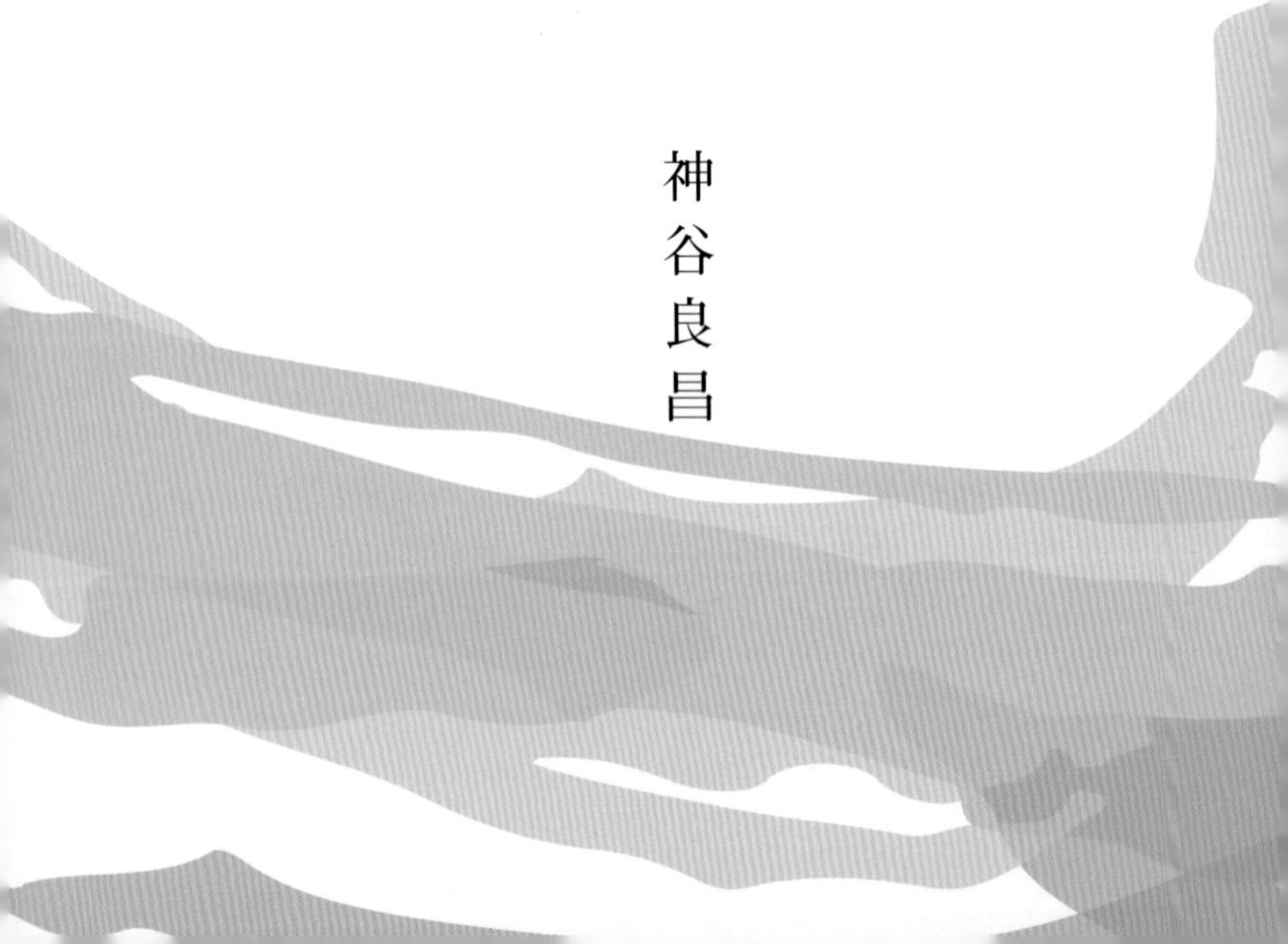

中浜万次郎（48歳）

ウィリアム・H・ホイットフィールド船長。遭難した万次郎らを救助した捕鯨船ジョン・ハウランド号の船長。万次郎の才能を見抜き一人米国へ連れ帰り、留学とでもいうべき教育を授けた。

サミュエル・C・デーモン牧師。
ハワイで「The Friend」という太平洋航海の情報紙を発刊、万次郎らを助け帰国計画を練った。

万次郎が上陸した琉球国摩文仁間切の小渡浜

五右衛門

万次郎

伝蔵

万次郎の土佐藩への帰郷後、画家の河田小龍の聞き書きによって編まれた漂流記「漂巽紀略」に描かれた、万次郎、五右衛門、伝蔵の姿。

満天の夜空に映える天の川と万次郎像（写真：大塚勝久）

右手は母の待つ土佐を指し、左手に『ジョージ・ワシントン伝記』と『ボーディッチの航海術書』を持って大度海岸に立つジョン万次郎像（沖縄県糸満市大度海岸）

ジョン万次郎　琉球上陸の軌跡

はじめに

『万次郎、ジョン・マン、ジョン万次郎、中濱万次郎』の名前は聞いたことはあるが、実際に彼の功績について詳しく知っている人は少ないのかもしれない。もちろんそれらの名前は同一人物である。

ジョン万次郎
(JOHN MUNG)

万次郎という人は、江戸時代の後期に現在の高知県土佐清水市中ノ浜の漁師の子として生まれた。運命のいたずらか、14歳になった万次郎少年は、漁をしている最中に嵐のため遭難し、アメリカ捕鯨船に救助されて日本人で初めてアメリカで教育を受ける機会を得た男である。

その後も捕鯨をしながら航海術を学んだ。いずれ日本に帰ることを夢見ながら鎖国下の日本に帰国計画をたてようとしたとき、本土上陸の足掛かりとして琉球への

上陸を計画する。そのころの琉球は、アヘン戦争後で欧米の異国船が頻繁に寄港する激動の真っただ中にあった。そのような時期に、万次郎は、琉球王国に上陸したのである。

万次郎は、アメリカで身に着けた技術を出し惜しみせず、日本の封建社会から近代社会へと変わる時代をひたすら懸命に生きた。

最近、アメリカでも万次郎についての関心が高まり、多くの関連資料や写真も発見されている。そこで、アメリカ側の情報も取り入れグローバルな視点で新しい万次郎像を求めて、何故《なにゆえ》、琉球を足掛かりに本土上陸しようとしたのか、その真実が知りたかった。決して偶然に何げなく琉球に上陸したとは考えにくかった。そこで、当時の東アジアと欧米列強、薩摩の支配下で翻弄される琉球の歴史を踏まえ、万次郎の琉球上陸の謎と生き方に迫ってみたい。

ジョン万次郎 琉球上陸の軌跡 ＊ 目次

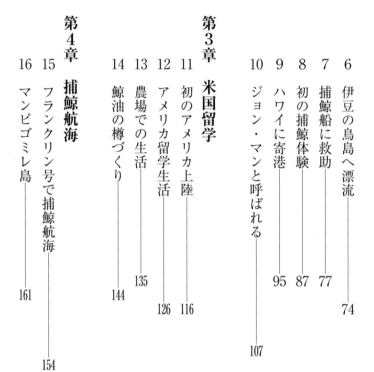

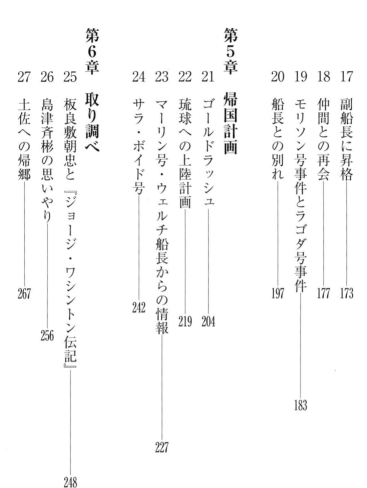

第1章　琉球上陸

1　小渡浜へ上陸

1851年の旧暦1月2日、琉球国の摩文仁間切小渡浜（現在の沖縄県糸満市大度）の沖合に異国船が接近してきた。その船は、ハワイから上海に向かうアメリカの商船「サラ・ボイド号」であった。その商船にハワイで乗船させてもらった日本人の3人が乗っていた。土佐出身の伝蔵が、年長で57歳、その弟で25歳の五右衛門、そして、中でも一番若い24歳の万次郎の3人が乗っていた。3人は、上海に向かう途中、沖縄本島南端の沖合で、捕鯨ボートと共に本船から降ろしてもらう約束でホノルル港から小渡浜沖合まで乗せてもらっていたのだ。

当時の日本は、外国船を受け入れず、日本人も外国へ行ってはならぬ徳川幕府の鎖国の時代である。鎖国の禁を犯した者は死刑に処するという時代に、まさに命を懸けて日本へ帰国しようとしていたのだ。上陸に使ったボートは、「冒険者」という意味の「ア

ドベンチャラー号」と名づけられ、万次郎がカリフォルニアのゴールドラッシュ金鉱で稼いだ600ドルのうち125ドルを払ってホノルルで購入したものだった。

沖縄本島の南端、島尻・摩文仁間切にある小渡浜の海岸は、旧暦1月2日の午後2時頃が干潮時間でその後、潮は満ち潮にかわり満潮に向かって潮の流れが海側から陸の方向に向かう。その潮の流れに乗っていけば楽に夕暮れには浜に上陸するはずだった。しかし、その日は、この季節特有の日本本土から下りてきた冷気が東シナ海付近まで流れ込んでいた。すると沖縄近海においては、風向きが北風に変り波が高くなる。しかも雨が降り始め冷たい風が強く吹く季節になっていた。地元の漁師にとっても厄介で危険な天候だ。万次郎らは、この厄介な季節風の中をひたすらに陸に向かってボートを漕がなければならなかった。向かい風となった冷たい北風が顔に当たり、更に沖縄では滅多にないみぞれ交じりの雨が降るという想定外の悪天候になってきた。

サラボイド号は、1850年12月17日にホノルル港を出航してから53日間を掛けて、琉球の沖合3里（約12キロ）ほどの海上に差し掛かった。ホイットモア船長はホノルルを出発する時の約束として、上海までの片道航路は、船員の数が不足していたので航海士の資格を持つ万次郎を臨時的な船員として雇用していた。そして、琉球近海で伝蔵と

五右衛門を下船させ、万次郎だけは上海で降ろしてもらうが、船員としての賃金は一切支払わない契約だったのだ。しかし、船長は、最初から万次郎だけを本船に残して、残り2人を琉球で降ろすことが本当にできるのか、そしてそれが正しいのか気がかりではあった。そしてここに来て、船長は、ついに決心していたことを万次郎に告げた。「伝蔵と五右衛門だけでは日本に帰ることができない、私としては残念だがあなたを彼らと一緒に帰ってもらうことにする」と船長の考えが変わったことを話すと、万次郎は涙を流して船長のやさしさに心から感謝した。

3人はホイットモア船長と水夫たちに改めて礼を言って固い握手を交わした。船長は、涙を浮かべ「命を懸けて鎖国の日本に帰ろうとすることは実に勇敢なことだと思う。そちらが向かっている日本においては、帰国できたとしても処刑にされる法律があると聞く、従って、これが本当の別れになるかもしれない。アドベンチャラー号での無事な航海を祈る。しかし、このような荒波では無謀にも思えるのだが、もし漕ぎ寄せが難しいと思ったら、この船に戻って来い」と最後の言葉を交わした。3人は、何度も「さよなら、さよなら」と別れを告げ、水夫たちにも感謝の気持ちを述べた。ボートに幾分かの食糧として肉や菓子を乗せてから、3人は、アドベンチャラー号に乗り移り、

いよいよ本船の船べりからゆっくりと水面に降ろされた。そして、荒波にボートが翻弄されながらも島影を目指して力強く漕ぎ始めた。やがて、サラボイド号も3人が島影に向かって進んでいくのをしばらく見届けた後、上海に向け帆をあげて北西の方角に走り去った。

真正面から吹いてくる北風と闘いながら、3人は力を合わせて帆を挙げ、万次郎が舵を取り、伝蔵と五右衛門が櫂で漕ぎ続けた。すると急に五右衛門が10年前の足摺岬で遭難した思いが浮かんだのか恐怖心で泣き崩れ、やがて混乱状態に陥ったのだ。万次郎は、五右衛門に「しっかりしろ」と大声で怒鳴り、帆を下して櫂を取り上げた。そして、無我夢中で向かい風に立ち向かい力強く漕ぎながら、ひたすらに陸を目指した。伝蔵も力強く櫂を漕ぐのだが風が強すぎて思うように前に進めない。やがて、暮れかかり薄暗くなるがそれでも岸辺に近づけなかった。新月の暗い夜をそれでも諦めずに島に向けて漕ぎ続けた。

走行しているうちにやっとアドベンチャラー号は、岩礁近くまで辿り着くことができた。しかし、すでに深夜の2時頃になっており、旧暦3日の月明かりのない真っ暗なリーフに荒れ狂う白波が踊り、怒涛をたてながら岩礁に打ち砕かれていた。万次郎は、

アメリカの捕鯨船で3年余りも航海士としての経験があり、1等航海士の知識と経験を持つ一人前の海の男だった。波が激しく打ち砕かれるリーフは、潮がリーフ内の礁湖（ラグーン）に入る向岸流なのでそこにボートを停泊させるとボートが荒波で岩礁に打ち砕かれることを万次郎は知っていた。そこで、波の音を聞き分けて岩礁の内側から外洋に流れ出る離岸流の場所を探しあて、そこにボートの錨を岩礁に引っ掛けることができた。離岸流のポイントにアドベンチャラー号の錨を引っ掛け、内側のラグーンから外洋へ流れ出る潮と共にボートが引かれると掛けた錨とボートの間をつなぐロープが一本の棒のようになり引っ張られた。するとと岩礁とボートにロープの長さだけ一定の距離が保たれる。その状態でボートに乗っていた3人は、岩礁に打ち砕かれることもなく朝までぐっすり眠ることができたのである。

旧正月3日の朝8時の満潮時間が過ぎても、3人とも疲れ切ってボートの中で横たわり眠っていた。干潮の流れで小渡浜のリーフ内のラグーンから潮は徐々に勢いよく外洋に流れ続け潮が引いてきた。潮が引いてくると水面から岩礁の岩肌が姿を現してきた。それは徐々に広がって歩けるぐらいに地表の岩が浮かび上がってきた。

その日の朝は、伝蔵が誰よりも早く目覚め、リーフの鋭い岩肌を転ばぬようにゆっく

万次郎ら3人が上陸した小渡浜

りと陸地側の砂浜に向かい歩いていた。すると地元の人らしき4人の若者が、釣竿を持ってボート付近の釣り場に向かって歩いてくるではないか。伝蔵は、彼らを発見すると、日本語なら自信を持って話せると思っていたので彼らに声を掛けて助けを求めようとそのまま歩き続けた。釣り人達も海側から近づいてくる伝蔵を見ると、服装が異人の出で立ちだったので、恐る恐る歩いてきたがある程度まで近づくと、その内3人が怖がって砂浜の方向に踵を返して戻ろうとしていた。それでも、ひとりだけが勇気を振り絞って伝蔵に近づいて話かけてくれた。残念ながら互いに相手の喋っている言葉がほとんど理解できていなかった。伝蔵は、手まねで表現しながらも

自分の話す土佐の言葉が相手にちっとも通じていないことがわかると落胆してしまった。実際には、釣り人が琉球方言しか話せなかったということ、それに伝蔵が土佐弁で話していたので尚更のことお互いの意思疎通は無理からぬことだったのだろう。

伝蔵は、言葉が通じないのでがっかりしてボートに戻ると、すでに起きていた万次郎がその状況を察していた。そこで、釣り人たちにどうにかして事情を説明し理解を求めるため諦めずに声をかけることにした。そして、急ぎボートから降りて護身のためにボートに乗せていたピストルを手に取ってベルトの中に押し込んだ。

万次郎は、その前年の1850年5月から70日間、ゴールドラッシュのカリフォルニア・サクラメントで日本人唯一の金の採掘を経験していた。サクラメントの山中にある川で金を探している時に、いつも護身用としてピストルを肌身離さず持っていたのが習慣となり、見知らぬ人と初めて対面する時は、普通にピストルを腰に隠し持つようにしていた。

万次郎は、釣り人たちに声をかけるため、砂浜を目指し尖った岩肌に気を付けながら釣り人に近づいた。万次郎は、英語でも話しかけながら身振り手振りで自分たちが決して怪しいものではなく、日本人として助けを求めていることを懸命に伝えようとした。

するとその釣り人は、何となく万次郎の言わんとすることをジェスチャーで理解したらしい。

釣り人は、万次郎たちが助けを求めていることを理解すると、やはりジェスチャー交りに「取り敢えずリーフに掛けたボートの錨を外して、波打ち際のリーフに沿ってボートを東側へ移動させなさい。そしてリーフの切れ目がある所で左側に回り込みそのまま北の陸地方角へ1町ほど（約109メートル）行くとンナトゥグチ（港口）である砂浜に上陸できる」と港口の方向に指をさして伝えた。

万次郎らは、釣り人の助言どおりにアドベンチャラー号をリーフに沿って岩礁にぶつけないよう距離を保ちながら東方向に漕いで移動させた。約200メートル漕ぐと左側に白い砂浜が岩間の間に見えてきた。地元の人たちがンナトゥグチ（港口）と呼んでいる砂浜の港らしい。砂浜は、海から陸に向かって幅が狭く傾斜になっている。

その砂浜の東側は、絶壁の岩がそびえて、下の部分は波にえぐられていた。この小渡村の港口は、昔から沖縄本島の北部で切り倒した材木を山原船で運んできて、その材木を降ろす港として使っている砂浜の港である。近くの摩文仁間切や真壁間切の住民は、家を建てる時の材木を山原で伐採された木材を使って茅葺の家を建てていた。

港口は、砂浜の幅は狭く浅く、しかも海底は珊瑚も多くて大潮の満潮時間でないと材木を積んだ山原船を港に入れることができなかった。しかもその満潮の短い時間帯に材木を降ろして、満潮の潮が引く前に船を急いで港から出さないと船底が珊瑚に接触して船を出すことができなくなる。だから満潮の限られた時間内に材木の降ろし作業を終わらすために、大勢の村人が港口で待機し船が入ってくるのを待った。そして船が港口に入ると側にある岩に、素早く手渡しで材木を並べ立てながら船から降ろさなければならなかったのである。そして、潮が引く前に、船を港口からできるだけ急いでリーフから沖合に出した。それが、この港口の使い方で、昔からの材木の降ろし方であった。

1851年の旧正月3日目のお昼前、釣り人に指示された通りにアドベンチャラー号を浜に揚げることができた。しかも船底の浅い捕鯨ボートなので岩に触ることなく難なく小渡浜の港口に入れることができた。万次郎らは、荒れ狂う海で死を覚悟しての上陸だったが、運に恵まれていたとしか言いようがない。「生きている」というよりも正に「生かされている」という気持ちがこみあげ、無事に上陸できたことに感謝した。アドベンチャラー号を砂浜の上に乗り上げて3人とも胸を撫でおろした。

噂を聞いて村人が五人、六人と港口に集まって来た。その中で長老の一人が「イッ

ターヤ、マーカラチャービタガ（あなたたちは、どこから来たのですか）」と方言で問いかけた。万次郎らには、殆ど聞き取れない、意味不明な言葉だった。それが琉球の方言だろうと推測できた。万次郎にとっては、ハワイで伝蔵たちと別れて以来10年近くも日本語を話してなかったので、日本語もほとんど忘れかけていたのだ。琉球語は、余計に意味不明で理解できなかった。そこで伝蔵が、土佐弁とジェスチャー混じりで逆に長老に質問をしてみた。「ここはどこか?」と聞くと「ここは、摩文仁間切だ」と分かる日本語で返事が帰ってきた。そして、伝蔵は、「我々は、日本本土で漁をしている時に、嵐に遭い漂流して長い間外国で暮らしていた」と簡潔に手振りで伝えた。伝蔵は、さらに小渡村の人たちに「我ら3人は、異国人の服装をしているが日本人である」ことも再度強調した。

その時に、小渡村の老婆が「イッターヤ、ヒーサラヤー、ヤーサンアラヤー（あなたたちは、寒いでしょう、おなかも空いているでしょう）」と地元の方言でやさしく言うと、「アネ、クヌクーフチウムグァー、ウサガミソーレー（この蒸かしイモを食べなさい）」と思いやりを込め芋を渡してくれた。琉球国では、たとえ初対面であっても寒くて凍えそうにしている人、あるいは腹が減って飢えている人を、見て見ぬ振りができな

いところがある。他人でも身内のように扱い、思いやりの心で持て成す風習がある。初対面でも身内の人同様に対応する時に「イチャリバチョーデー」という言葉があり、初対面でも「出会えばその時からお互いは兄弟」のようなものだと理解し持て成す。そして、困っている人がいれば「チムグクル」と呼ばれ「思いやりの心」で応対することが習慣としてある。人の苦しみを自分の苦しみとして捉え、その人にしてほしいことを施すことが「チムグクル」である。村人たちの人情味あふれる「もてなし」を受けたときに、万次郎らは「自分たちの判断は間違ってなかった。上陸の地を、ここ琉球国にしてよかった。本当に幸運なことだ」と3人は、帰国できる実感と生きる勇気が湧いてきた。

万次郎は、浜に来ていた村人に「水が欲しい」と手真似で頼み、ガラス製の水差しを渡した。しばらくすると男が水差しにたっぷりと水を入れて戻ってきた。万次郎は、ボートに置いていた食器を出して、水差しからやかんに水を移して湯を沸かした。挽いたコーヒー豆を取り出し村人の前でコップに湯を入れてコーヒーを飲んで見せた。そして、アメリカ風に牛肉と豚肉を焼き始めた。村人からすると生まれて初めてコーヒーを目の前にして、その香ばしさを嗅ぐことができた。それだけでなく、アメリカスタイル

のビーフステーキの焼き方まで見せてもらった。村人たちは、万次郎たちの姿形や言葉や食事まで違うので興味津々に見ていた。万次郎としては、アメリカの生活スタイルと食文化を披露したつもりだった。異国に長い間住んでいたことをわかってほしかったのだ。そして、村人の同情を誘いながらも、土佐へ帰る手立てを施してくれることを期待していたのだ。因みに、村人の前で見せたアメリカ風の食事は、サクラメントの山奥で金を探す山師として生活をしていた時のそのままの食事だった。その様子を披露して見せたのだ。

伝蔵と岸辺で出会った時の釣り人が、すでに3人の上陸について摩文仁間切の番所役人に届け出ていたので、数人の役人が急いで小渡浜に到着した。その事を知って、さらに多くの村人たちが浜に下りてきた。一人の役人が「我々は、番所の指示のもと、ここにやってきたのである。あなた方の船と荷物はすべて私たちに委ねるようにしてほしい。これは、番所からの命令である」と伝え、一刻も早く番所に出頭するようにと言った。それから、村人も一緒にアドベンチャラー号を陸揚げし、船に乗っていた荷物と船具一切を番所に運ぶことになった。

2　番所での取り調べ

伝蔵と五右衛門、そして万次郎は、小渡村集落の人たちに囲まれ摩文仁番所に案内されると、ふかし芋などの食べ物が与えられた。3人とも食事を済ませて落ち着くと、土佐での漂流からその後の経緯についての取り調べが始まろうとしていた。しかし、役人は、3人とのコミュニケーションがうまくとれなかった。取り敢えず関心ごとは彼らが日本人であるかどうかであった。そこで万次郎らは、椀に盛った飯と2本の箸を渡されて食べるように言われると、上手に箸を使いこなして飯を食べて見せた。その様子を見ながら、役人たちは「この3人は間違いなく日本人だ」と確信することができたのである。

日本人と判れば土佐の言葉でも何とか日本語の単語を探しながら集中すると聞ける単語が増えてきた。すると、徐々に意味がわかるようになり会話に弾みがでてきた。役人

の書いた報告書によると伝蔵が「この地なんと名つくる所なるや」と尋ねれば、日本語で以って「琉球国摩文仁間切というところなり」と、役人が丁寧に答えている。「伝蔵の疲れたるを哀れみ、かつ伝蔵の肩を撫で、我ら見えしことなれば、子等の身体よろしくこれをはぶらうべし、必ず心を労し賜えるへからずとて」と「伝蔵が疲れているのをかわいそうに思い、伝蔵の肩を撫で、私たちが来たからには、もう大丈夫だから」と言う意味の言葉を役人からもやさしくかけられている。

最初の取り調べが一段落すると、摩文仁番所から3里半（14キロ）ほど離れた那覇にある薩摩藩在番奉行所に伝蔵らを送致しなければならないということになった。そこで摩文仁番所の役人は、護送について書面を作成する必要があったので、それから那覇に向かう準備をすることにした。

旅支度に必要な持ち物を確認した後、いよいよ那覇の在番奉行所に向かうことになり、午後4時頃に摩文仁間切番所を出発した。米須村の裏山を超えると開けた農地を歩き、真壁間切の番所に着いた。そこで茶を一服いただき休憩した。そして、すぐに高嶺間切の国吉集落の寺原から中毛原を通り抜けるとそのまま北に向けて歩き続けた。やがて国吉裏山を越えると右手に南山城址の石積が見えた。三山時代に初代南山王の承察度

によって築かれた500年前の南山城跡である。石で囲まれた城壁の一部だけが見え、かつて中国との交易で繁栄した面影はうっそうと茂った亜熱帯の木々に覆われていた。高嶺間切を過ぎて兼城間切との境界にある報得川に差し掛かった。そこには、1732年第12代尚敬王の時代に木橋から石橋に改修された報得橋という立派な石橋が架かっていた。その石橋をゆっくりと渡り終える頃には夕暮れとなり薄暗くなってきた。そこで松明をつけて足元を照らしながら、寒い冬のぬかるんだ宿道を更に歩きつづけなければならなかった。宿道とは、中央と地方の間切番所をつなぎ、首里王府や那覇から番所に向けて放射状に広がる道である。その道は、緊急な事態が発生した場合、早馬に乗った役人が一刻も早く伝令を番所に届けるため馬が早く走れるよう直線的に作られた道である。

万次郎らは、豊見城間切を通り過ぎて小禄間切の小禄村まで歩かされた。やがて目的地の那覇に着こうかとするとき、急に琉球王府の役人が早馬に乗って伝令を持ってきた。「この者たちを、那覇に行かせてはいけない。すぐに豊見城間切の翁長村に戻せ」ということだった。結局、疲れ切った状態でやがて目的地の那覇に着こうとするときに、「今来たぬかるみの道を豊見城間切の翁長村へ戻れ」と言うのだ。伝蔵は足が痛い

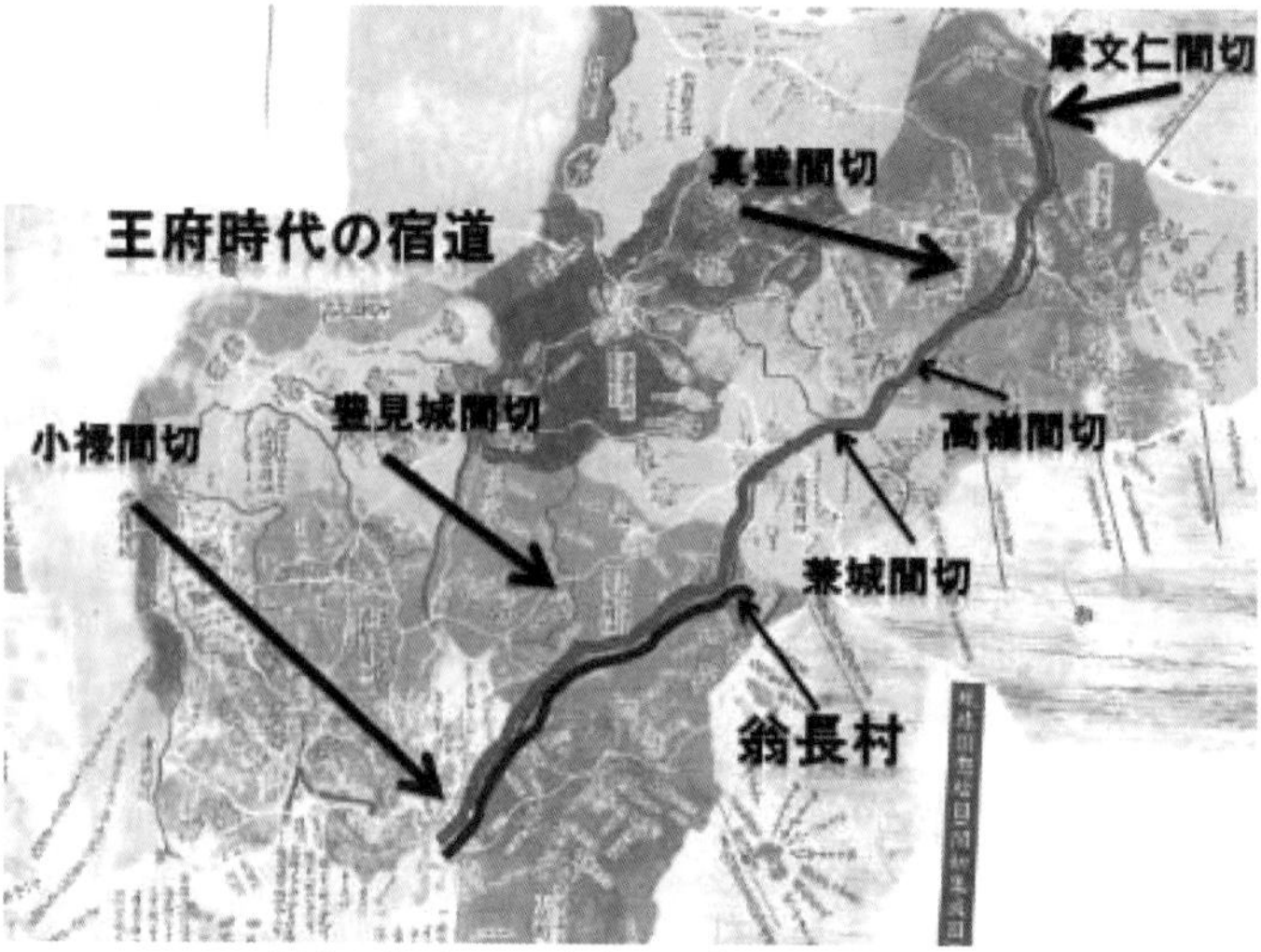

琉球の役人に万次郎らが同道したルート

と訴え、五右衛門も万次郎もひどく疲れきって思うように歩けない状態であった。そこで、松の木の下にむしろを敷き、粥をすすって一休みさせてもらった。万次郎らには、元の道を戻らなければならない理由は当然にわからなかった。余計に気も滅入ってこの深夜で眠気もあるし歩きつづけるなどとんでもないと思っていた。そこへ思いがけなく役人が手配した駕籠かきが来たので3人は歩く必要がなくなりその駕籠に乗って翁長村へ向かうことになった。駕籠は、乗り心地としてはそれほどいいものではなかったが、歩くよりはましだった。

薩摩藩から琉球国へ異国船の対策のために派遣された異国方役人の報告した行政日記「琉球王国評定所文書」がある。それを見ると薩摩役人及び琉球王府の役人たちが、いかに万次郎らの上陸によって慌てふためいていたかがわかる。日記には、「乗員三人が、オランダ船から摩文仁間切の小渡浜へ小舟で上陸したので経緯を尋ねたところ、やまとの言葉で我々は土佐国のもので、昨日午後2時頃に外国船からボートを卸して到着した」ということを最初に報告している。「ついては、右の三人と荷物をすべて那覇へ送り届けるものとする。本船は、夜前に沖合から離れたとのことを右の大和人たちから聞いた。なお、小舟は小渡浜に保管してある」と報告されている。当時の琉球では、異国

船のことをすべて「オランダ船」と呼んでいた。もちろん、この時の異国船は、万次郎たちをハワイからここ琉球まで乗せてくれたアメリカ船籍の商船「サラ・ボイド号」のことである。万次郎たちを本船から下すと、すぐにこの異国船は立ち去ったので、役人としては「昨日は、雨天で、霧が多くかかり本船は見えませんでした。それで万次郎らを本船に送り帰すこともできず、致し方なく番所で取り調べをするしかなかった」と上司に対して弁明の意味も含んで報告している。

3人の小渡浜上陸のことが報告されると正月3日の段階では、「なお、土佐国の3人が垣花村（現那覇市内）に到着した際、御物奉行の勝連親方と御鎖之側の小禄親雲上がおもむいて検分し、確かに大和人と判明したならば、久米村筆者によって尋問させるように処理するものとする」と決定している。万次郎らが那覇に到着することを前提として、連行している途中で立ち会って検査し、

琉球国翁長村（「漂巽紀略」より）

その結果、日本人であれば久米村筆者に尋問させるように指示をしている。ちなみにこの文書にある親雲上《ぺーちん》とは、一般に琉球士族のうち、中級士族に相当する役職、地位を名乗る称号である。

事情聴取の準備がされて薩摩役人である御横目一人、御附け役一人、足軽一人、問役一人が那覇から現地の翁長村へ派遣されることが決定された。その際に薩摩役人たちの宿泊用屋敷を5軒用意するよう、親見世が現地の豊見城間切・翁長村の役人へ指示している。久米村筆者の喜屋武親雲上《きゃんぺーちん》から那覇筆者・仲村渠築登之《なかんだかりちくどん》と英語通訳の「板良敷築登之《いたらしきちくどん》」を派遣する予定で、「豊見城間切検者・同じく間切役人のさばくり中に土佐国人の事情聴取のために御横目一人、御附け役一人、足軽一人、問役一人がこれから赴く予定なので、翁長村に広めの屋敷を五軒、宿舎として用意すること、里主と御物城の指示を受けて通知する」とある。

これまでが上陸した正月3日と4日の2日間で首里王府と薩摩役人の間で交わされた文書の動きである。このことから那覇の役所に当たる親見世は、如何に緊急を要した迅速な対応に迫られていたかがわかる。3日の段階では、3人を那覇の久米村に滞在させる予定だったが、その後すぐに薩摩在番奉行から王府役人の小禄親雲上により「豊見城

間切・翁長村にしばらく居させよ」と変更している。また、4日において、翁長村の徳門（高安家）の門前に関番の仮小屋があって、番さばくり2人、その他の間切役人が3人そこに詰めていた。また、百姓2人を昼夜そこに詰めさせ、厳重に取り締まることを命じている。また、その日に在番奉行所から首里王府に「横目と付役らが豊見城へ行くので、乗馬と荷物夫を準備するように」という要請があった。薩摩の役人らが乗る馬と荷物を運ぶ人夫は小禄間切から出すようにと指示されており、このような場合、小禄間切の役人らは、百姓をかり出し、馬を集め、宿泊所の手配を急がなくてはならなかった。

薩摩の在番奉行所からの通知で、漂着した3人の内ひとり万次郎という者だけは、英語が達者ということなので、通訳として板良敷築登之（後の牧志朝忠《まきしちょうちゅう》）に通訳として対応するよう文書でもって指示している。そして、旧暦4日の早朝、翁長村の「会所」で、朝忠が万次郎らに会い、英語で尋問して、琉球に上陸するに至った経緯を取り調べている。朝忠は、前日の摩文仁間切で身振り手振りで聞き取りした報告書を片手に持って、英語で質問し、内容を再度確認しながら取り調べた。そして、大筋に摩文仁番所で報告された内容とほぼ一致していた。そのように朝忠は、3人の取り調べを終えて確認

したことを上司へ報告し、更に薩摩在番奉行所へも同様の報告がされた。

首里王府は、事態が起こるとその都度、薩摩藩に伺いを立てて、薩摩藩からの指示を仰ぎながら行動することが、当時の琉球国の行政の有り様だった。そのような複雑な行政の仕組みゆえに、那覇近くまで連行されながら、一度指示されたことが途中で変更されるドタバタ劇が起こってしまった。その原因は、薩摩藩と琉球国の関係にあった。その時から240年前に遡る1609年に薩摩の「琉球侵攻」に深い原因がある。当時の薩摩藩の藩主・島津家久は、1609年3月4日に一族の樺山久高《かばやまひさたか》を総大将に100余りの軍船に3000名の兵を琉球国に向けて、薩摩の山川港を出帆した。最初に琉球国圏内にあった奄美大島へ上陸して強引に制圧した。島津軍はそのまま徳之島、沖永良部島を次々と攻略し、3月25日には、沖縄本島北部の運天港に上陸して今帰仁城を制圧した。

そして4月1日には、首里城へ迫ってきた。琉球は、それまで第二尚氏七代に渡って平和な日々が続いていたのだが、尚寧王のこの時代には、特に海外交易も下火になって斜陽化していた。戦争に備えた十分な武器など持ち合わせていなかった琉球に対して、かつて豊臣秀吉の西軍として戦国時代でしのぎを削っていた島津軍は、最新式の鉄砲を

装備し次々と首里の一帯に死体の山を築き上げていった。

1609年5月15日に薩摩軍は、尚寧王ほか三司官を人質に取り、那覇を出航して5月25日に鹿児島に帰陣したのである。薩摩侵攻は、たったの72日で完了した。そのことについて将軍・徳川家康は、薩摩藩の琉球征服を賞賛し、7月7日に島津家久に琉球の支配権を与えている。その後、薩摩藩によって江戸に連行された尚寧王は、時の徳川幕府第二代将軍・徳川秀忠に面会した際に、琉球国の存続を命じられた。1611年9月には沖縄島と周辺諸島を琉球国王領とし毎年の貢納物を課した。年貢その他の貢物は、薩摩の奉行の定めたとおりに取り収めることとされ、薩摩藩から琉球が今後守るべき「掟一五か条」が押しつけられた。以後、人頭税や貢布、砂糖上納など琉球国始まって以来の民衆への負担を増やし、人民搾取の歴史が始まった。

琉球の貿易権が奪われ、琉球王国は、その後、薩摩藩の実効支配を受けることになったのである。つまり、薩摩藩の琉球に対する干渉は厳しくなり、完全に琉球の自治や自立を奪い取るものであった。そして、薩摩は、中国との有益な朝貢貿易を継続させるために琉球王国を滅ぼさず隷属化して存続させようとした。そこからの貿易収益は貢納物として薩摩藩に納めさせることにより薩摩藩の財政を支えるようにしたのである。

薩摩藩は、尚寧王と三司官に琉球が古来薩摩の附庸国だったことを認めさせ、尚寧王を琉球に帰国させた。そのように琉球国は、国としての主体性が持てず王府の内政権を剥奪され、薩摩藩の従属国として存在していた。琉球国は、幕藩体制の従属が設立すると、その後は、日本とこれまでの冊封関係にあった明王朝との2か国に従属していたことになる。1879年の琉球処分まで、約270年も実質的に薩摩の支配下にあった。

万次郎は、琉球へ上陸する前にそのような琉球と薩摩の関係についてわずかではあるが情報としてホノルルで得ていたようだ。それは、琉球が薩摩藩に年貢を納めるために、薩摩を毎年2月に出発した和船が、琉球に到着すると貢物を乗せて6月頃には薩摩に戻る定期船があるという情報であった。万次郎は、その情報を知った時に、「その和船にさえ乗ることができれば日本に帰国できるかも知れない」と思い、琉球を足掛かりに日本への上陸を計画し、土佐に帰れることを期待していたようだ。

薩摩藩から琉球国へ派遣された「異国方」役人たちにとって、外様大名の藩であるだけに常に幕府の目を気にしなければならなかった。そして、外国関連の事件はつぶさに幕府に報告しなければならない義務が課せられていた。それだけに万次郎らの上陸についても慎重に扱いつつ正しい報告をしなければならなかった。その頃には、幕府は、外国

船の取り扱いが「外国船打ち払い令」の武力ではなく、柔軟に対応し日本から何事もなく去ってもらう方向に変わっていた。1840年から1842年まで続いた中国のアヘン輸入禁止を発端とする中国とイギリスとのアヘン戦争があった。いとも簡単に大国・清王朝がイギリスに敗れたことは江戸幕府にとっても、そして琉球国にも大きな衝撃を与えた。その後、欧米列強によるアジア進出が本格化してくると、特にアヘン戦争をきっかけに植民地政策は、極東にある日本に向けられて大きな脅威となってきた。

江戸幕府は、1825年に「外国船打ち払い令」を発布して強気の姿勢を貫いていたが、アヘン戦争の終わった1842年にはそれを廃止した。そして、その後は、日本に接近する異国船に食料や水などを求められれば穏やかに退去を求める「天保薪水令」を新たに発布し、柔軟な対応へと転換していった。それは、琉球国においても薩摩の指導により同様に異国船への柔軟な対応がなされていた。

アヘン戦争後は、琉球へもフランス軍やイギリス海軍の軍艦が寄港し始めて来た。そもそも万次郎が上陸する7年前の1844年には、フランス船アルクメーヌ号が琉球に寄港した。その事件は、薩摩藩を通して江戸幕府にも報告された。アルクメーヌ号の提督は、琉球国へ和親・交易等を要求し、宣教師のフォルカードを那覇に在留させた。そ

して、近い将来「大総兵」の軍事力をもって再びその要求を実現するために琉球に来ることを告げて本国へ去っていたのである。しかし、帰国すると、フランスは、資本家階級主体の市民革命から、労働者主体の革命へと転化する時期にあった。国王ルイ・フィリップがイギリスに亡命しフランスの国内が内乱状態にあったのだ。それからしても、このようなフランス政権の変動が理由で、琉球へ大総兵の軍事力を持って圧力をかける余裕などなく、フランス軍が琉球に来るなど有り得なかった。

しかし、フランス船による琉球への開国要求と「大総兵」の来航予告に、ただ事ではないと危機感を募らせた薩摩藩は、那覇に常駐する在番奉行の役人だけでは十分に対処できないと判断し、新たに薩摩から「異国方役人」らを派遣して外国船の来航などに備えていた。同時に、江戸幕府は、薩摩藩からアルクメーヌ号事件の報告を受けて欧米列強の軍艦が恐れていた通りに琉球へ寄港してきたことから薩摩藩に対して「日本の南玄関にあたる琉球国に3千名の兵を送り、外国船による侵略に対処するよう」命令を出したのである。しかし、当時の薩摩藩は、財政的に困窮していたことを理由に、3000名どころか100名を派遣するのが精いっぱいだったのだ。取り敢えず幕府には、命令された数の兵を派遣したと虚偽の報告をしたのである。

そのような歴史的状況の中、万次郎らがこのタイミングで琉球国に上陸してきたのである。3人の漂流者が日本人であれば、最終的に幕府役人による長崎奉行所での取り調べがあることは当然の決り事であった。その時にこれまでの幕府に対して報告した薩摩の虚偽や秘密が、万次郎らの証言によってばれてしまうことを、薩摩藩と首里王府は一番に心配し恐れたのである。

正月4日には、御物城から日帳主取《ひちょうぬしどり》の兼城親雲上《かねぐすくぺーちん》に「大和横目と問役たちも先例通り付き添って赴くので、人馬を用意するようにとのこと、また翁長村へ宿五軒を手配するようにとのことも受理した。この件について手配するよう指示した」とあり、万次郎たちへの本格的な取り調べと尋問が始まろうとしていた。そして、翁長村に着いた薩摩の役人が張り付けられた地元の役人に対して「土佐人らに上等の着物を与えれば、幕府への聞こえもよろしく、我が薩摩藩の殿様も幕府に対して面目をほどこすことになる」と万次郎らを手厚くもてなすことを指示している。

正月6日には、薩摩の役人が「もしも漂着人らが、現在琉球に薩摩藩の役人や武士が何十人いるかと尋ねるようなことがあれば、詳しくは知らないけれども、大体8、9百人から千人余りいるのではなかろうかと答えなさい。また、琉球に英国人が滞在してい

るなどということは、一切口外してはならない」と地元の役人に厳しく命令している。

正月8日の仲宗根親雲上と喜屋武親雲上からの手紙では、「漂着土佐国人の事情聴取のため、翁長村へ出向していた御横目と御附け役、大和横目、問役は、一昨晩那覇に戻ってきた。この件を連絡する。以上」とある。

正月9日、肥後平九郎からは、親見世に「このたび、土佐国のもの三人が異国船で送り届けられ、豊見城間切内の翁長村に滞在しているので、その取り締まりのため、産物方御用聞きたちの中から一人ずつ一日交代で翁長村へ差し越すことになった。ついては、本行のように往来の着替え持ち夫三人ずつを派遣するよう指示して頂きたい。この件を連絡する。以上。但し、着替え持ち夫については、明日から毎日早朝に昆布座へ出向かせるよう指示して頂きたい」と御用聞きの役人も一日交代で動員されることになった。

正月12日には、御鎖之側の小禄親雲上から「このたび日本人が漂着したことについては、定式方が取り扱う先例であるが、右の者たち土佐国人は、長らく異国に滞在し、まさに現在、英人が逗留中であるため、何かと支障となる恐れがある。ついては、今回、御内用方が取り扱うことになったので、そのように取り計らうようにせよ。この件を通

知する。右のとおり、御在番所から連絡があったので、そのことを心得るようにせよ。以上」とある。薩摩在番奉行所から小禄親雲上への連絡として、本来ならこの万次郎らの件については、定式方の部署が管轄であるが、万次郎たちが日本人で外国に長らく滞在していたということとイギリス人が那覇に在住している状況を考えると、この件は、御内用方の部署へ管轄を移すということで特別な事例としてあつかっている。この中に書かれている「まさに現在、英人が逗留中である」そのイギリス人こそ、1846年にイギリス海軍により送られて、那覇に住んでいる宣教師のベッテルハイムのことである。

正月16日には、薩摩から「明日、在番奉行の御仮屋御方と私たちも翁長村へ赴くことについては、以前に調整済みであった。ところが、今日、野元一郎殿から状況によっては、一日での処理は難しいため、2、3泊の宿の手配を考慮して赴くようにとの連絡があった。そこで、御奉行様は、御身分が済み次第お帰りになり、他の御役々衆は、伝間船の御検分のために摩文仁間切へ赴く場合もある。このことを野元一郎殿と御用達の園田仁右衛門殿から伝えられた。念のため、右の件を連絡す。以上」と御物城・那覇里主の小禄親雲上から首里王府への文書である。この文書から、薩摩から偉い人が状況視察

に来ることの報告がされている。それから、まだこの旧暦1月16日においてもアドベンチャラー号は、摩文仁間切の番所に置かれていたことがわかる。

3人の土佐の漂流者が摩文仁間切の小渡浜に上陸しただけでこれだけの薩摩役人と王府役人がそれぞれの役目と責任を果たそうと最後までドタバタして忙しくしていることがよくわかる。その裏に薩摩藩と王府が幕府に対して報告していない虚偽と秘密が漏れるのを避けるために必死であったことも見えてくる。万次郎らが漂着したこのタイミングで起こったドタバタ劇の原因には大きく二つの理由があったのだ。

その一つが、1844年にフランス船アルクメーヌ号が琉球に来た時に薩摩藩は幕府にそのことを報告すると薩摩藩に対して「フランス軍の大総兵に向けて3000名の兵を琉球に派遣せよ」との命令を出した。しかし、薩摩の財政的事情により100名程度の兵しか送れずそのため幕府へは、1千名の兵を琉球に送ったとの虚偽の報告をした経緯があった。その虚偽の報告が幕府にばれる心配があった。薩摩の役人は万次郎たちがいずれ長崎奉行所の取り調べで「那覇の港には、さぞ多くの薩摩の兵が異国船への警護をしていたであろう」と想定して、万次郎らが「いいえ、那覇には、薩摩の兵などほとんど見かけませんでした」などと返答されれば、幕府への派兵の人数に嘘があることが

ばれることになる。それで、「もしも漂着人らが、琉球に鹿児島の役人や武士が何十人いるかと尋ねるようなことがあれば、詳しくは知らないけれども、大体8、9百人から千人余りいるのではなかろうかと答えなさい」と万次郎らに言うよう仕向けている。そこで、薩摩役人は、当初は、那覇の久米村に漂流者は滞在させたが、1844年以降は、その虚偽の報告のために那覇の様子を見せないよう漂流者の滞在を止めて、漂着した摩文仁間切に戻せとも言った。最終的に豊見城間切の翁長村に二転三転して決定したことが琉球王府の「土佐人漂着日記」で見ることができる。

それから、二つ目の理由として、「琉球に英国人が滞在しているなどということは、一切口外してはならない」と翁長村の役人に厳しく命令している。薩摩藩は、幕府がキリスト教の宣教師の入国を固く禁じているご時世に、那覇の「波の上」にある護国寺に宿泊しているイギリスの宣教師ベッテルハイムが琉球に滞在しキリスト教の布教活動をしている事実を江戸幕府へ報告していなかったことになる。だからこそ、ベッテルハイムと万次郎たちとの遭遇を避けるために那覇に滞在させなかったことになる。

この二つの理由が、万次郎らを絶対に那覇に入れなかった大きな理由である。もし長崎奉行の取り調べで万次郎らが「那覇の港には、薩摩の異国船監視のための役人はほと

んどいませんでした、そのかわりにイギリス人の宣教師がキリスト教の布教活動をしていました」などと長崎奉行に話そうものなら薩摩の殿様は幕府に対して面目まるつぶれである。

次に、天候の悪い夜中に、しかも万次郎らが疲れ切っているにもかかわらず豊見城間切の翁長村の地に何故に無理やり戻されたのか。その理由は、「英人来着日記」（琉球評定所記録）の中に報告されているベッテルハイムの宣教活動と行動範囲にあるようだ。その日記によるとベッテルハイムは、「朝7時過ぎ時分、イギリス人の夫婦が2人で護国寺を出て行く。そしてその後ろから役人が隠れながら内緒で着いて行く。そして西武門より久米村大門へ出る。そして仲島大石を横切って壺川のほうに行き、壺川から古蔵を通り真玉橋を渡ると豊見城間切に入る。そして石火屋橋前まで来ると、ここのところにてしばらく休息、茶、たばこをのみ、それから豊見城間切の南風原村（今の豊見城市字豊見城）に着いた。その後、南風原村から、那覇に向かい小禄間切を降りて垣花を通り、それから渡し舟を使って渡地に上陸した。そして御仮屋の前を通り、護国寺へ帰宅すると夜遅くなっていた」というベッテルハイムの行動範囲がわかる資料である。

ベッテルハイムの行動からすると、当時の交通手段が徒歩であるだけに、日帰りを前

提として護国寺を起点に朝早く出発すると、そこから一番遠いところでも豊見城間切の那覇寄りにある南風原村であることがわかる。そこから那覇に戻ると夜に護国寺に戻れるということから南風原村より遠くに万次郎らを滞在させればお互いが遭遇することはあり得ない。

そこで、那覇から同じ豊見城間切の中でも遠いところとなると兼城間切との境界にある翁長村が一番遠い村となる。それに、翁長村は、場所柄においてよそ者の行き来がほとんどなく、穏やかな農村なので万次郎らを大人しく警護するには最適地であった。その後、薩摩在番奉行の島津登殿と相談の上、土佐人の荷物を物奉行・鎖之側・大和横目らの監視のもとに摩文仁間切から翁長村へ移動させた。

百姓の家に宿泊する予定だったが、翁長村の村役人で親雲上《ペーチン》と呼ばれていた役職の徳門《とくじょう》家に滞在することになった。徳門家に1月3日から7月11日まで約半年も滞在することになるが、その生活は万次郎たちにとって快適なものであった。徳門家では、万次郎たちの宿舎として母屋を提供し、3人に使ってもらうことにした。同じ敷地内の西側一角に家族9人の住む茅葺屋根の簡素な家を新しく作り、そこで家族は寝起きをすることになった。

親雲上と呼ばれる家では、家族同様に親しくしてもらい、その中の娘で愛嬌ものの「ウシーグァ」はよく万次郎に話しかけてくれた。ペーチンの家には、薩摩の役人が5人配置されていたが、そのほかに琉球の調理人がいて、米飯のほか、豚肉、鶏肉、鶏卵、豆腐、魚類などで手厚くもてなされた。首里の国王からは、新しい着物や帯のほか、万次郎らに焼酎一斗が贈られた。また、梅雨の時期になると蒸し暑く蚊が発生する時期になるが、その時にも蚊帳2張が特別に支給された。このように万次郎らは滞在中に温かいもてなしを受け、全ての取り調べが終わると、これまでの漂流や捕鯨船での苦労が嘘のように思えるくらい平和な日々が続いた。それほどに翁長村での時間は3人にとって癒される時間だった。

琉球国王からこれだけのもてなしを受けることのできた理由として、「先年、琉球の人々が土佐へ漂着した際は、いろいろとお世話をしていただいたと聞いている。そのご恩に報いるために、粗略な扱いをしないようにと、特に国王から指示があった」ことが「島津斉彬文書」に書かれている。それによると、その事を指示したのは琉球の最後の国王・尚泰であった。

尚泰が言う「特別に土佐人への恩を報いるべく粗略な扱いをしないように」という理

由は、万次郎が生まれる122年前に遡り、1705年7月10日に琉球人が清国との朝貢貿易を終えて帰国する途中で暴風雨に遭遇しやむなく土佐清水浦（現在の土佐清水市）に漂着した歴史的な事実が根拠にあったようだ。その時の琉球船の船内には、大通事・奥間親雲上以下、82名が乗り込んでいた。それら琉球人の取り扱いについて土佐藩は、江戸幕府の指示を待ちながら、しばらく土佐清水浦に宿泊させ、五か月後に薩摩藩の使者に琉球船乗員たちを引き渡したという事実があった。その時の琉球王は、第二尚氏王統第11代・尚貞王で琉球に送り返した土佐藩の善行に心から感謝したとのことが文書に残っている。その事を知っていたのが琉球国王・尚泰で偶然にも万次郎が土佐藩の土佐清水出身であることがわかった。そして、漂流者を丁重に扱い、無事に帰国させようという思いが、恩返しの意味としてそのような高級な食事や着物、蚊帳などの贈呈となり、それを「もてなし」としたのである。

その歴史的事実に関しては、高知県の史料に「一豊公記」や「異国船手当」などの古文書に琉球船も外国船と同様に異国船に組み込まれ報告された記録がある。それらの資料で琉球船に関する事件として、1640年に琉球船が土佐佐賀浦に避難、1705年には、万次郎の出身地土佐清水浦に琉球船が漂着、1762年琉球船が柏島漂流、

1795年琉球船が下田に漂着と何度も琉球船がはるか南西諸島から四国へと北上して黒潮の流れに乗って漂流し、ついには足摺岬の近くの海辺や湾曲して陸地に入り込んだ浦に漂着していることがわかる。かつては、風任せ、潮の流れ任せの外洋での航海だったので、特に台風の通路にもなっているこの海域だったから、船が遭難する事故が頻繁に発生したのだろう。その意味で当時の外洋に出ることは死を覚悟しての航海で、無事に帰れることが家族にとっても琉球王にとってもそれは何よりも感謝すべき出来事だったのだ。沖縄では、「唐への旅」を「死の旅」という意味で使うが、中国への朝貢貿易は、いかに死を覚悟した旅だったかがわかる。

現在の土佐清水港の近くに浄土宗・蓮光寺があり、そのお寺の境内を奥に進み階段を上るとそこは墓地になっている。その一角に、漂流し上陸したが病気となり治療の甲斐なく亡くなった琉球人の墓がある。当時の土佐清水の人たちが、遭難した琉球人の墓を建立し供養してくれた。昔から黒潮つなぎで土佐と琉球に起こりうる事故だが、死んだ人を葬ってくれた土佐清水の人たちの心温まる美談として大事にしたい出来事である。

尚泰王は、万次郎たちが土佐人であることから、時代が変わっても過去に頂いた恩を忘れず、出来るだけの「もてなし」をして恩返しの意味もあって万次郎らを厚くもてな

そうとしたのである。琉球には、昔から庶民にもよくつかわれている言葉に「イチャリバチョーデー」という言葉がある。小さい島国である琉球王国は資源が乏しく、農業をするにも十分な農地がないので農産物の生産にも適さなかった。そして、三山時代から中国との交易を通じて東南アジアや朝鮮との貿易を拡大し国の財政を支えていた。この交易にとって最も重要なものが相互の信頼関係であることを琉球人は経験で良く理解していた。その時代にシンガポールで交易の様子を伺う資料が残っており、その歴史書に「琉球の貿易商人は『レキオ』と呼ばれ、商売をして儲かるとほとんどの外国商人は、酒を飲み、その地で女を買って遊ぼうとするがレキオの人は、女を買うことはしなかった」と書かれている。そのような信頼関係の上で、物の売り買いが成り立っているとすれば、まるでお互いが家族の一員であるがごとく思いあって、親しく付き合うのが持続可能な交易と考えていたのだろう。そこで、「イチャリバチョーデー」つまり「出会ったその時からお互いは兄弟のごとくお付き合いをする」という考えが継続できる交易の一つのテクニックとして成り立っていたのだろう。そして、お互いが争う事より平和に付き合おうとする姿勢とお互いに助け合う思想が自然にこの琉球という地に育まれていたのだろう。それからすると、これも縁で、万次郎らとの出会いも「イチャリバチョー

デー」で、兄弟として丁重に「もてなし」をすることは自然な接待行為だったのかもしれない。

琉球を足掛かりに土佐へ帰ろうと判断した万次郎は、運命の糸というか琉球と万次郎の生まれた土佐は昔からつながりがあった。その琉球に上陸したことは運命であり、上陸の地としたのは間違っていなかった、或いは、万次郎はそのような運命的な何かを持っていたとしか思えない。万次郎の強い使命感を達成させるために大きな力が働いているかのようでもある。

翁長村の徳門家では、その後、子々孫々に万次郎について語り継がれた話がいくつか残っている。現在は、戸主高安亀平氏が5代目になっている。亀平氏の祖父に当たる3代目の高安公造氏が残した資料がある。公造氏の祖父が初代のペーチンになるが、当時ペーチンと呼ばれた祖父は、村の役人で万次郎らが翁長村に来たその日は会所の当番だったようである。それで万次郎たちの宿を引き受け、役人からこの者たちは、一夜の宿でなはく長く滞在することになるだろうと言われた。それで、母屋を譲り家族は屋敷内に新たに茅葺屋根の簡易の家を新しく建てた。屋敷の周囲はチニブ（竹）囲いにして万次郎たち3人を幽閉し外に出さないように役人が立っていた。その時の門番は村でも

武術の熟達したものを立てたという。しかし、門番もしばらくすると万次郎らが自由に屋敷の外に出入りしても厳しくすることなく寛大であったとのことである。

半年の滞在中に万次郎は、最初は互いに言葉も通じなかったが、村の人たちが話すウチナー口（沖縄方言）でユーモアたっぷりに冗談を交えて話ができるようになっていたようだ。万次郎のように生まれながらに土佐の言葉だけ話した少年が英語も流ちょうに話すと、言語の仕組や特徴を理解できる能力が身に着いてきたのだろう。だからこそ、村人たちとの会話でウチナー口の特徴をつかみ日を増すごとに語彙が増えて話すことができたのだ。何よりも性格が明るくて周囲に溶け込む心の寛容さも兼ね備えていたからこそ、言語の能力も十二分に発揮されてきたに違いない。言葉は、話さない事には上達しないということである。

翁長村では、旧暦の6月には、稲穂祭りにあたる「6月ウマチー」が村をあげての「綱引き」行事として行われる。村を東と西に二分し村人総出で馬場の広場で綱を引きあうのだがその行事にも万次郎は参加した。徳門家が東チームであったため万次郎もそのチームで精いっぱい綱を引っ張り、勝利したとの話も語り継がれている。

当時は、村の若者たちは畑仕事が終わると夕食後に村のはずれの広場に集まり、三味

線をもって歌ったり踊ったりして懇親する「毛遊《もうあし》び」が翁長村にも習慣としてあった。それは、結婚の年頃になった若者が、将来のパートナーを求め懇親する現代のコンパと似て、カップルが生まれる出会いの場でもあったようだ。24歳になっていた万次郎も翁長村の若者たちと一緒にその輪の中に入り、歌い踊りする中で密かに徳門家の娘のウシーグァに恋心をいだいたのではないだろうか。なぜなら、土佐に帰った後で万次郎は翁長村の思い出話の中で「ウシーグァ」の名前をちゃんと覚えていたようである。

それから、万次郎は、捕鯨中にフィリピンや南太平洋の島々で食べたバナナが好きだった。徳門家の庭に同じバナナの木が育っていることに気づくが実が小さい。ペーチンがこれは食べれないバナナと説明した。それは、果物のバナナではなく、琉球の織物である芭蕉布を織るために必要な繊維を取る芭蕉なのである。芭蕉布で作られた着物は、薄くて軽く、張りのある感触から、肌にまとわりつかず涼しいので琉球では重宝されている。ちなみに芭蕉布は、琉球を支配した薩摩藩への貢納品の一つであった。

徳門家には、万次郎が滞在している時から今でも残っている建造物として、門を入ると正面に高さ1m20㎝、横4m余りの琉球石灰岩トラバーチンで作られたヒンプンと呼ばれる石塀がある。そのヒンプンは、家の内部を外から見えないようにする「目隠し」

今も残る徳門家のヒンプン

の役目と、沖縄は台風が多いので強い風から家を守るために「風よけ」の目的がある。普通は、ヒンプンを回り込んで外出するのだが、万次郎は、家から門に向かって直線的にそのヒンプンをジャンプして門を飛び出て遊びに行ったという身軽で元気な青年であった話も残っている。

徳門家に残るそのような万次郎滞在中のエピソードから見えるのは、幽閉の身でありながらも自由に外出もできて、村人たちとの行事にも参加し実に平和的な癒しの時間を楽しんでいる光景がある。足摺岬沖で遭難してから外国で過ごし琉球に上陸するまでの10年間に多くの危険や厳しい生活を経験したが、幽閉された翁長村での時間は、食事や着るもの

にも不自由せず、村の人たちにも親切にされ、特に徳門家の家族には大事にされた。青年たちとの毛遊びは、同世代の人たちとの交流ができた楽しくも愉快な時間だったに違いない。一方伝蔵と五右衛門は、何事にも消極的で外にも出ようともせず、帰国の心配だけをしながら、与えられた今の時間を有意義に過ごすことができず、ただただ帰国のことが気になり、何をするでもなく時間だけが過ぎていたようだ。、王府から日用品として帯、草履、下駄、芭蕉紙などがあって漂流者が要望すると支給された。その時に、万次郎は草履が磨り減るのが誰よりも早いので数多く要望していた。それだけ、万次郎は活動的であったということで他の2人はそうではなかったという証拠になるだろう。

3　通事・牧志朝忠

漂着した3人の中に外国語を話すものがいるという正月3日の摩文仁間切の役人からの文書で、那覇の役所である親見世の役人は、「久米村筆者の喜屋武親雲上から那覇筆者の仲村渠築登之と英語通訳の板良敷里之主親雲上を派遣する……」という事で、英語通事の板良敷朝忠を取り調べのために派遣している。摩文仁間切での役人の取り調べは、身振り手振りで事情を聴いているだけに、その時の報告書は内容的に正しいのか自信が持てるものではなかった。そこで、朝忠は、まだ夜も明けぬ早朝に役所からの連絡を受けるとすぐに翁長村に向かった。英語を得意とする朝忠によって早朝から英語で聞き取りがされたが、万次郎も質問に対して流暢な英語で説明しながら丁寧に返答していた。

朝忠は、その説明を受けて万次郎らが土佐で遭難してから漂流し、アメリカに渡りそ

の後この琉球に上陸するに至った経緯を大枠で理解することができた。これまでの摩文仁間切および王府の役人からの報告とほとんど変わらないことを確認するのにそう長い時間はかからなった。

朝忠こそ、2年後のペリー艦隊が琉球に上陸した時に、強硬手段で首里城に上ろうとするペリー提督に通詞として最前線で抵抗した男でもある。その時からペリーを琉球王に面会させなかったことで大きく評価された。その後も通詞として活躍し薩摩藩主・島津斉彬の右腕として彼の野望であったフランス軍艦を購入するために走り回った。その時期には、名前も牧志朝忠と名乗り、琉球王府の参事官クラスで「表十三衆」の役職まで出世した男でもある。

板良敷朝忠は、父の板良敷朝昆《ちょうこん》と母・真呉勢《まごぜい》の3男として1818年首里に生まれた。万次郎よりは9歳年長である。板良敷家は、尚家の一族である玉川按司家の支流で士族であった。朝忠は、唐名を「向永功」と名乗っていた。日本と清の二つの国に所属する琉球王国の士族は、姓名も琉球名と唐名の二通りを用意して便宜的に使い分けていた。生来の苗字は板良敷であったが、読谷間切の地頭のときに大湾朝忠を名乗り、牧志間切の地頭職に任じられた時から牧志朝忠と名乗った。

当時の士族と言えども、誰もが王府の役職につけるわけでもなく、板良敷家の生計は厳しく貧しい生活であった。しかし父親の影響を受けて朝忠は、幼い時から「四書五経」や「六諭衍義」の漢籍は無論のこと和文の書に親しんでいた。その甲斐があって本来士族の子供たちは「村学校」に通うのだが、そこを飛ばして次の「平等学校《ひら》」に飛び級で入学した。そこを3年で終了すると、国の最高学府である「国学」に厳しい試験を通過して入学した。ここでも彼の成績は抜群であった。国学は、琉球王国に設置された最高学府で、官生となって中国への留学資格を得ることができ、中国の国子監を出ることで琉球王府における高位高官に就く資格を得ることが出来た。

1839年、朝忠が21歳のときに、生涯を決定する出来事が起こった。首里王府は、朝忠を冊封謝恩使として三司官・兼城親方の従者となり清国に派遣することを決めた。その思わぬ機会に恵まれ、中国でも国学で学んだ北京官話は多少の難点はあったが立派に現場で通用した。兼城親方からみても諸事万端に機転が利いて何よりも当時の士族の子弟にしては珍しく強い向上心があることに驚かされたという。そこにほれ込んだ兼城親方は、この使節の役目を終わると朝忠をそのまま北京に残して国子監に入学させることにした。朝忠にとってもさらに勉強したいと願っていただけに幸運な機会だと思え感

謝の念と更に本場中国に滞在できることに心が躍った。チャンスだと思うと朝忠は、おのれを奮い立たせるタイプの青年だった。冊封謝恩使一行が帰国した後も北京に残り勉学に励むことになった。ところが、朝忠の留学していた1840年にアヘン戦争が香港で勃発した。この戦争は、万次郎らが遭難する1年前に起こった事件で、その後の日本、琉球にとっても大きな事件となる。

アヘン戦争は、欧米列強による中国侵略の糸口となった戦争である。ヨーロッパで喫茶の風習が広まってくると中国産の紅茶が生活の必需品となり、特にイギリスが最大の輸入国で大量の茶を中国から購入していた。しかし、イギリスは、それに見合う中国への輸出品を持たなかったので対清貿易の輸入超過に苦しんだ。そこで、イギリスは見返りの商品としてアヘンに目をつけ、インドでこれを栽培させて中国に徐々に輸出し始めた。するとたちまちに中国人の吸引常習者が増えてくると、清国は、薬物の移入と販売を禁止し、吸引をしたものを罰することとした。その時、イギリス商人の手から強硬にアヘンを没収して廃棄処分したのである。それに対してイギリスは激怒し、軍艦を派遣して中国の沿岸を砲撃し始めたのだ。これが、発端となりアヘン戦争は2年間続いた。そして、最終的に1842年8月に清国は、屈辱的な南京条約に調印することになっ

た。この敗北で清国は香港を失い、上海など五つの港の開港を余儀なくされた。フランス、アメリカとも同様な条約を結ばざるを得ず、中国の一部が欧米列強の植民地として次第に浸食されたのである。つまり、この戦争をきっかけにヨーロッパ勢力による東アジア植民地政策の先駆けとなったのである。

朝忠は、イギリスに敗北した清国が、目の前で落ちぶれていく様子を見ながら失望した。これまで、東アジアにおいて「中華思想」を掲げ、冊封体制のもと周辺諸国の敬意を一極集中していた清国だった。しかし、イギリス人にぺこぺこ頭を下げ、言いなりになっていく清朝の役人たちを見ながら、これからの時代は欧米列強、とりわけイギリスの時代が来ることを、朝忠は肌で感じ悟ったのである。「北京官話も大事ではあるが、これからの時代は英語を学ばなければならない」と心に決めて英語の習得に打ち込むことになったのだ。

牧志朝忠

朝忠は、1844年に北京での留学生活を終えて帰国すると、琉球を取り巻く情勢が急激に変わりつつあることに気付いた。首里王府に接触を求めて来航する異国船の増加に驚きを隠せなかった。異国船の頻繁な琉球への

寄港、そして日本への接近は当然に日本との和親・通商の要求、そして自国の植民地にしたいとする狙いがあることを、日本が本気に恐怖を感じた時期でもあった。

そのような東アジアが急速に変わりつつある時期に朝忠は帰国するのだが、まさに外国語を学んできた人材が喉から手が出るほどに欲しいと思っていた琉球国でもあった。とりわけ朝忠のような外国知識と英語と中国語と日本語と琉球語の多言語能力を兼ね備えた若手の役人が必要だったのだ。朝忠は、すぐに外務・渉外担当府にあたる鎖之側の通訳役人に任用されたのである。そして、早速その年にフランス東洋艦隊の軍艦アルクメーヌ号が那覇の沖に姿を現したのだ。これが、朝忠の通訳役人として初めて外交の場に登場するアルクメーヌ号の来航であった。この時は、フランス語を清国人通訳が中国語に変換し、その中国語を朝忠が琉球語と日本語に通訳するという作業であった。

1846年には、英国聖公会宣教師のベッテルハイムがキリスト教の普及のため琉球国にやってきた。そこで、首里王府は、朝忠を取り急ぎ、鎖之側の役人としてベッテルハイムの監視係として担当させた。朝忠は、監視係として仕事上、ベッテルハイムに接触する機会が多かった。同時にこの時とばかりに彼から英語を学んだ。そして、日増しに朝忠の英語能力が伸びると、外国の事情についても理解できるようになり、まるで世

界への扉が大きく開いたように視野が更に広くなってくることを感じていた。また、それと引き換えに、朝忠は、ベッテルハイムに琉球語を教えて、更には琉球の歴史や薩摩と琉球の関係も日常的会話の中で普通に雑談し、監視する立場であったが、ベッテルハイムと内面的に親しくなっていた。

4　宣教師ベッテルハイム

ベッテルハイムは、1846年から1854年まで8年間を琉球国に滞在したイギリス人である。万次郎が小渡浜に上陸し、翁長村に幽閉されている期間も、ふたりが出会う機会は一度もなかった。その間、ベッテルハイムは、那覇の護国寺で生活をしていた。ただ、万次郎は、琉球に住んでいたベッテルハイムの存在と名前はハワイで情報として持っていた。しかし、琉球に上陸した時に、那覇へ連行されるはずが、途中で翁長村に戻されたのがベッテルハイムの存在に起因していることは一切知らなかったようだ。

ベッテルハイムが琉球に来た経緯については、1816年にアルセスト号とライラ号というイギリスの軍艦が那覇に寄港したところまで遡らなければならない。このイギリス軍艦の寄港目的は、琉球列島周辺の海域と島々の測量・調査であった。その調査結果は、ライラ号の艦長バジル・ホールにより『朝鮮西海岸及び大琉球島航海探検記』とし

て、帰国後にイギリスとアメリカで出版されている。その本はすぐにイギリスでベストセラーとなり東アジアの地図が掲載されているだけに、実用的な航海本としてアメリカでも広く販売されたようだ。特にアメリカ捕鯨船が岩礁の多い琉球近海で捕鯨漁の最中に水深も書かれたこの実用的な海図が使われていた形跡がある。

欧米列強は、植民地政策として中国の次は極東日本に目を向けていた。キリスト教の普及を足掛かりにして、琉球と日本に宣教師を送り、さらにその土地の詳しい地図を入手、或いは自ら測量し地図を作成して情報を得るのが植民地を獲得する最初のシナリオだった。それからすると、バジル・ホールの「大琉球島航海探検記」が、欧米でベストセラーとなったのも理解できる。偶然にも、アメリカの捕鯨船が琉球近海で捕鯨漁が始まると、バジル・ホールの海図が重宝されていたようだ。

ちなみに、バジル・ホールが琉球から英国へ帰国する途中、セントヘレナ島に立ち寄った際に、流刑の身であったフランスのナポレオンに会っている。その時に、「琉球には武器がない」ことを伝えた時、ナポレオンが「この地上で武器を持たない国があろうはずがない」と語り、そのことを信じなかったという逸話は有名である。欧米の表舞台に初めて平和で優しい人たちが住む理想郷のごとく琉球国を紹介したのは、バジル・

ホールだと言われている。

ライラ号が琉球で測量作業をしている期間中に船員の一人が病気で亡くなった。その時に琉球の人たちが丁寧に彼の葬儀を執り行い泊港の近くに墓を作り葬った。その船員の名前は、ウイリアム・ヘアーズと言い琉球の地に葬られた最初の欧米人だと言われている。そのウイリアム・ヘアーズは、現在も「泊外人墓地」で静かに眠っている。

アルセスト号とライラ号の船員たちは、朝鮮沿岸で海禁政策が徹底されて、きびしい拒絶的な取り扱いを受けたのに対して、琉球では極めて友好的な接待を受けた。牛、豚、山羊、鶏、野菜等の食料から蝋燭《ろうそく》や水、薪などの必要物資も無償で提供されたりした。それで、ウィリアム・ヘアーズの件も含め、これらの琉球人から受けた好意と歓待が忘れられず、船員たちは、何らかの形で恩返しをしたいと考えた。

その後、2隻のイギリス軍艦は帰国するとイギリス国内において、海軍士官であったH・J　クリフォードを中心に「英国海軍琉球伝道会」なる組織を結成し、琉球国への感謝として伝道のための宣教師と医師を派遣することを決定した。その目的のために基金募集を始めた。当初は、宣教師と医師の二人を派遣する予定だったが思うように基金が集まらなかったため諦めかけていた。そのような時に、牧師であり医師の資格を持つ

英国聖公会のベッテルハイムが自ら手をあげて琉球に派遣されることを希望してくれた。伝道会にとっては、少ない予算で一人二役の仕事ができるベッテルハイムを喜んで派遣することにした。ベッテルハイムは、妻エリザベスと娘と息子を連れて琉球国へ渡って来た。そして、すぐに次女が生まれ、名前をルーシー・ファニー・ルーチューと名付けられ、琉球で生まれた最初の欧米人となる。それから考えると1816年の英国海軍バジル・ホールによる琉球での測量調査中に、琉球人による英国人水兵の葬儀や食料の無償提供が無ければ、ベッテルハイムが琉球に来ることはなかったことになる。

ベッテルハイムの家族の見守り役と監視役を言いつけられたのが通詞の板良敷朝忠で、毎日接する機会があり、お互い徐々に打ち解けていくようになった。朝忠にとってこれまで英語を頑張って勉強してきたが、ネイティブスピーカーのベッテルハイムが来たお陰で、生きた英語を学ぶ絶好の機会を得ることができたのである。表向きでは、監視役だが内実は、英語を学び、歴史や外国の制度を教えあえる間柄になっていくのである。ベッテルハイムは、医師でもあったので内緒で朝忠の家族に体調が悪いと診察したこともあった。また、当時流行した天然痘に対しても見識があり、密かに琉球の医師である仲地紀人に牛痘を用いた予防接種法を指導していた。ベッテルハイムは、医師とし

ての評価は低かったが地元の医師に影響を与えていた。ちなみに、同時期に本土において、蘭学者であり、蘭医でもあった緒方洪庵が天然痘を根絶するため牛痘法での予防接種を普及したことはよく知られているが、琉球でもベッテルハイムにより地元の医師仲地紀人に同じ牛痘法を指導していたことはあまり知られていない。

万次郎が琉球に上陸した年には、すでにベッテルハイムの琉球滞在が5年目になろうとしていた。朝忠の英語力も周囲に認められ、ほぼネイティブ並みに流ちょうに話していただろう。だからこそ、摩文仁間切りの役人から漂流者の中に英語を話すものがいると聞いたときに、那覇の役人にも信頼されていた朝忠に聞き取り調査を依頼した次第である。

翁長村の会所での朝忠は、これまで摩文仁間切の役人が作成した報告書に目を通しつつ、万次郎への聞き取りを終えた。そして、摩文仁間切で作成された報告書の内容と一致していることを確認することができた。

その後、少し休憩を入れて、万次郎らがアメリカから持ち込んできた品物について、ひとつずつ手に取り確認しながら聞き取りをする必要があった。その中には、オクタントという測量道具、ネクタイ、木綿衣裳、それに母の作った防寒着で「どんさ」と呼ば

れた半纏、それから10冊以上の雑誌と本も持ち帰っていた。その本の中には、「ディクショネリ」（英語辞書）や「プレティケル　ネフゲヰトル」（ボーディッチの『実用航海術書』）、「デ　ライフ　オフ　ジョルジ　ワスシングトン」（『ジョージ・ワシントン伝記』）などの本があった。朝忠は、ひと通り所持品のチェックをしながらそれぞれの器具の目的や本の内容についても万次郎から詳しくそして具体的な用途の説明を受ける必要があった。

その時、朝忠が特に興味を示したものが『ジョージ・ワシントン伝記』であった。朝忠にとってこれまでに見たことのない部類の英語の本であった。ページを捲りながら興味を示し、じっくりと読みたかったが個人的にその本を書き写そうともしたくらいだった。しかし、十分な時間もなかったのでその本を貸してもらい持ち帰ることにした。自宅で早速読み始めると、その本には、アメリカの初代大統領の生きざまを通してアメリカの政治や選挙制度についても書かれていることがわかってきた。どうしてもわからない専門用語は辞書を引いたりしながら理解しようとしたが、それでもわからない部

宣教師ベッテルハイム

分は、護国寺に居るベッテルハイムを訪ねて聞くことにした。朝忠は、足繁くベッテルハイムを訪問しその本の内容を理解したかったようだ。朝忠は、アメリカ初代大統領ジョージ・ワシントンの伝記からアメリカの大統領制度を通して民主主義国家の仕組みをベッテルハイムの力も借りながら知ることができた。

大統領制度の説明として「衆人才学兼備の人を推して政官たらしめ」とあり、才能と学問を兼ね備えた人が大統領となり、そして「在職すること4年をもって限りとす」。「しかれどももし功、抜群たる人なれば」もしその人が優秀な人であれば「なお職を退《ひ》かしめず」更に4年2期までは大統領任期を継続できるということもわかった。当時の日本は封建社会で、将軍の子がたとえ才学兼備でなくとも次の将軍となるのが当然と考える社会だった。国民がトップのリーダーを選挙で選ぶことができるなどと想像すらできなかった時代だった。その意味では、琉球人で民主主義の意味を最初に理解できたのは朝忠だったのかもしれない。

万次郎らは、さらに鎖之側《さすのそば》の通詞役人で英語の堪能な朝忠に、漂流した経緯やその後のアメリカでの生活、そして捕鯨漁の様子、最後に琉球に上陸するに至った経緯まで詳しく説明をしなければならなかった。幸いに、朝忠が英語を聞けただけに、万次郎に

とっても英語がどの言葉よりも苦労なく話せたので説明するのはむしろ楽だった。その後も、万次郎はゆっくりとわかりやすい英語で説明した。そして、万次郎は、自分の生い立ちから始まり、次に漁船で遭難し、アメリカ捕鯨船に救助された事、アメリカでの生活、琉球に上陸するまでの経緯を朝忠に話し始めたのである。朝忠は、万次郎と向き合って座り、冒険心をそそる雄大なドラマをゆっくり話してくれる万次郎の英語に聞き入った。

第2章　漂流・救助

5　足摺岬沖で遭難

万次郎は、土佐の足摺岬近くの小さな漁村である中ノ浜（現在の高知県土佐清水市）で、父「悦助」と母「志を」の二男として生まれた。万次郎が生まれたその年は、文政年間の１８２７年で異国船が頻繁に日本の近海に出没し始めた時期である。１８２４年には、薩摩の宝島にイギリス人が上陸し、島の番所に銃撃を加えて牛を盗もうとして島役人に射殺されるという宝島事件が起こっていた。そのような時代だったので徳川幕府により「異国船打払令」が出された。その法令は、外国船を見つけ次第打ち払うか、沿岸に近づけば理由を問わず砲撃し撃退せよというもので、また上陸しようとする外国人がいたならば逮捕、或いは打ち殺すことを命じたものであった。このような時代に万次郎は生まれたことになる。

そのころの土佐の「中ノ浜」は、すでにかつお節の生産地として栄えていた。万次郎

の家族は、姉の「せき」と「しん」、兄の「時蔵」、万次郎そして妹「梅」の5人兄妹である。しかし、万次郎が9歳の時に父親の悦助が病で他界し、兄の時蔵は病弱だったので、3人の姉妹を抱えながら、万次郎は、家計を助けなければならなかった。谷間の狭い段々畑での耕作や母の僅かばかりの収入と万次郎が稼ぐ微々たる給金では、一家の生計を支えるには厳しい生活を強いられていた。母の「志を」は、かつお節づくりのために宇佐に出向くこともあったという。万次郎は古老の家に雇われて年季奉公をしながら、白米にするため米を石臼でつくなど雑用に従事して学問をする機会もない幼少年の時期を過ごしていた。

万次郎にとってその雑用も子どもにとっては重労働であったが、そのような暮らしを少しでも良くしたくて、いつの日かもっと収入のいい漁師になることを考えるようになっていた。当時は、14歳になると漁師として舟に乗ることもできた。万次郎はその年になると中浜浦の奉公先を飛び出し、漁師になりたくて大浜浦に停泊していた宇佐浦の鰹節船に乗り込んだ。それは、万次郎にとって自ら家を出てチャレンジ精神を発揮した生まれて初めての体験であった。しかし、宇佐浦まで行った万次郎は、頼れる人もなかったが、幸いにもその時に五右衛門という人に出会い、彼の家でしばらく世話になっ

た。それが縁で、五右衛門の兄の伝蔵が乗船する宇佐浦船籍の徳右衛門鰹船に雇われ、幸いにも飯炊きとして乗船することになった。当時の土佐の漁船は、5、6人乗りで外洋に出ることはなく、足摺岬近海で常に片方に岸を見ながらの沿岸漁業で主にアジ漁が盛んであった。

土佐の万次郎らが乗る漁船は、船の真ん中に帆を立て、後部に舵が付けられ、両サイドに櫓が固定されてそれを漕ぐ造りになっている。時に帆を張って風の力を借り、潮の流れも見ながら櫓をこぎ自由自在に進むことができた。1841年の正月5日、万次郎は生まれて初めてその漁船で沿岸漁をすることになった。その時に乗船したのは、宇佐の出身で伝蔵37歳、重助24歳、五右衛門15歳の3人兄弟と、寅右衛門25歳、そして、唯一の中ノ浜村出身で一番若い14歳の万次郎の5人での漁となった。万次郎らは、その日の午前10時頃に宇佐浦を出港し、翌日6日は佐賀浦沖合で流し釣りをしていたが残念ながら小魚ばかりしか釣れなかった。そこで、7日早朝は、足摺岬沖合の三崎というところに移動し、沖カジキという魚をとるため「はえ縄」で5人が漁をしているときだった。西の空に黄色の雲が見え、地元で「あなせ」と呼ぶ北西の風が急に激しく吹いてきた。そこで急ぎ「はえ縄」をたぐり寄せて帰ろうとした。しかし、風はさらに激しくな

りそのまま南東の方向に吹き流された。そのうちに舵も櫓も折られてどうにかして土佐の港に帰りたいと神仏に念じるがどんどん沖に向かい潮に流されてしまった。その時、白米一斗ほど残っていたので、おかゆにしてわずかながら腹に食べ物を入れたりもした。しかし、徐々に海水が船の中に入ってくるのでそれをくみ取り、船が転覆しないように帆柱を船端に結わえて、風と潮に任せて流される以外なかった。

陸も見えず流されながら、9日の夕方になると更に冷え込み肌も痛く、濡れた衣類は固く凍り、手足は凍えて自由に動かすことができなかった。そこで箱を壊し、それに火を焚いて水を温めて肌や手足を温めたのだが11日には激しい雨が降り、火を焚くことも思うようにいかず、5人とも疲れ果てていっその事そのまま死んでしまいたいとも思ったが死ぬこともできなかった。

12日目に雨がやみ、昼頃になるとアホウドリが海上に多く飛んでいるのをみてみんなは喜んだ。それは、近くに島があることを意味していたからである。そうすると南東の方向に島がかすかに見えはじめたので、そこに向けて折れた櫂で漕ぎ寄せようとした。しかし、磯の波が荒く船を着けきれず、その日は磯から少しばかり離れた所に錨を下し船で眠ることにした。

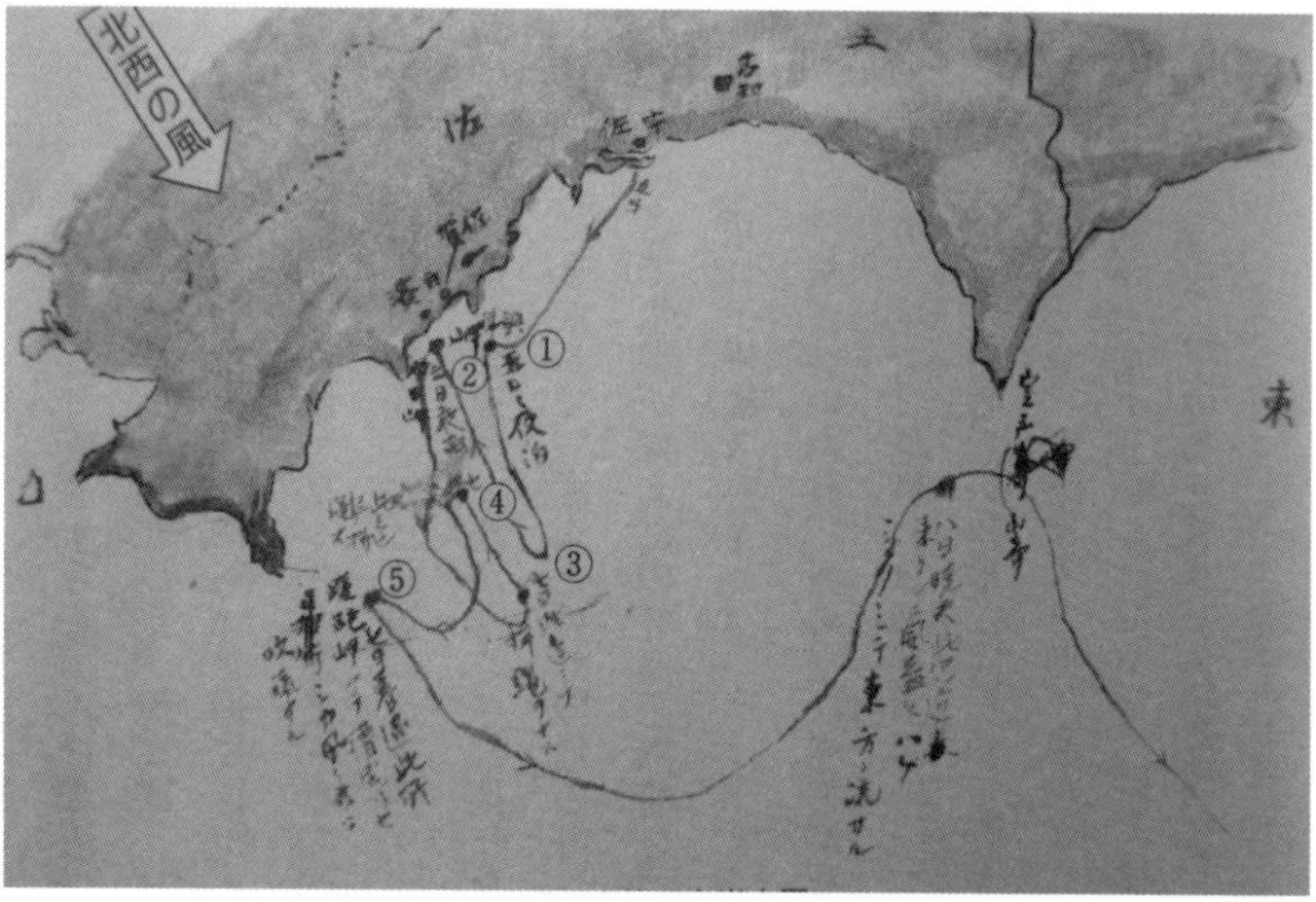

万次郎らの漂流の経路（「漂巽紀略」より）

翌朝、波が高かったが寅衛門と五右衛門、そして万次郎の3人が先に海に飛び込み岸に泳いで上陸を試みた。しかし、伝蔵と重助は、船に残っている間に大波によって、船もろとも岩にぶつけられ船は大破してしまった。その時に、重助は足の骨を折ってしまう。そこで伝蔵が重助を抱えてやっと全員が岸にたどり着き上陸することができた。

土佐の沖合は、黒潮と呼ばれる潮の流れが日本列島東海岸を南から北に向かい流れている。通常であれば冬の一番寒いこの時期に漂流すると黒潮は、東北地方の沿岸を北上し北海道釧路方面でマイナス20度まで下がるので船中で凍え死ぬことになる。と

ころが万次郎が遭難した時の潮の流れは、近畿沖に冷たい水の塊が発生する「冷水塊」の海洋現象が起こっており、潮の流れが北東ではなく南東に流れる「黒潮大蛇行」に変わっていた。つまり、この海洋現象が発生していたので幸いにも万次郎らは、鳥島方向に押し流されていたのだ。

地元の漁師が「あなせ」と呼んでいる北西の風が、急な天候異変の嵐となり激しい突風が吹き荒れて、万次郎らの乗った舟は遭難したのだが、幸いにこの黒潮大蛇行に沿って流されたお陰で、北に流されず東南東の鳥島に到着することができた。さもなければ本来の黒潮の流れに沿って1月の寒い時期の北海道、さらに北のほうに流されて、間違いなく凍え死ぬ羽目になっていただろう。九死に一生を得るというのはまさにこのことで、幸運さも手伝い、生かされた万次郎であった。万次郎は、鳥島に上陸できたことを心から喜んだが、その時は未だ生かされているという気持ちは芽生えてなかったのかもしれない。

6 伊豆の鳥島へ漂流

鳥島は伊豆諸島のほぼ最南端にある火山島で、毎年10月から翌年の5月にかけて「とうくろう」と呼ばれるアホウドリの繁殖の島でもある。万次郎らがこの島に漂着した時季は、アホウドリが卵を産み雛をかえす子育て真っ最中であった。

万次郎らは、人間の怖さを知らないアホウドリを簡単に捕獲することができた。容易に捕獲できたが船に積んでいた火打石を漂流中に無くしていたので火を使ってその鶏肉を焼いて食べることはできなかった。それで、アホウドリの肉を石の上において天日干しにして食した。その干し肉を唯一の主食としてしばらく飢えをしのぐことができた。漂流記には、「帆げたを使って4、5羽を打ち殺しそれを食べた」とか「住んでいた洞窟のところにもトウクロウの巣があって、ひなをかえしている最中で親鳥が雑魚を捕ってきてヒナにあげるところで親鳥を殺しそれを取り上げ、またヒナも捕って食した」と書

かれている。少々残酷にも聞こえるが、この時季に万次郎たちは鳥島に上陸出来たため幸い食べるものにも不自由しなかった。餓え死にもせず、またもや九死に一生を得た経験をしたことになる。

最初の4か月は、このように食の確保に余裕はあったのだが、アホウドリも5月初旬になると幼かった雛はどんどん成長し、一羽づつ羽を広げ北の方向へ成鳥となって島から飛び立って行った。そして、ついに最後のアホウドリが島から飛び立っていくと、万次郎らは、海岸の貝や海藻などを食べて飢えをしのぐしかな

アホウドリを捕らえて飢えをしのぐことができた

かった。日がたつにつれ十分な栄養を取ることもできず、体力も衰え、痩せていくのが目に見えてわかった。重助は、上陸した時の足の骨折が原因で歩くことができず洞穴で横になり養生につとめるだけだった。

万次郎もげっそりと痩せこけて日々死に向かって時間が経っていることを意識せざるを得なかった。まさに体も衰弱し希望も持てない地獄であえいでいるかのような時間であった。伝蔵も弟の重助の世話で疲れ切っていたが、残された万次郎と五右衛門と寅右衛門の3人が洞窟から出て海藻や貝など食べれそうなものを探し続けていた。

二度と家族と会えることもないだろうと死を覚悟しつつ、生きることに望みを失いかけていた時であった。天は万次郎らを見捨てなかった。鳥島に漂着して143日目に偶然にもアメリカの捕鯨船が洋上に現れたのである。万次郎は、手を振りながら必死に救助を求めるた。

7　捕鯨船に救助

1841年6月28日にアメリカの捕鯨船が新鮮なウミガメの卵を探しに鳥島近海に来たところ、万次郎が島の崖から手を振りながら救助を求めていることに気づいてくれたのだ。捕鯨船の名は、ジョン・ハウランド号で1839年10月にマサチューセッツ州ニューベッドフォード港を出航し、太平洋・日本漁場でマッコウクジラを捕獲するために鳥島付近で捕鯨漁をしている船であった。船長は、ウィリアム・ホイットフィールドと呼ばれた。

ジョン・ハウランド号のホイットフィールド船長は、マッコウクジラを求めて、日本漁場を隈なく航海しながら鳥島が見えたので島の西南の沖合、10キロ近くに錨を下ろした。海亀を捕えて船上での食生活を潤すためである。彼らの食事は、塩漬けの肉、パン、米、豆類などで、冷蔵設備のない時代だったため、パンもカビが生え、肉もウジ虫

が湧き、砂糖を入れた壺にはゴキブリが生息しているという有様だった。そのような食糧状況だったので新鮮なウミガメの肉かあるいはカメの卵が欲しかったのだ。

ジョン・ハウランド号には、ライマン・ホームズというまだ19歳の水夫がいて、本船の上から救助の様子を日誌に書いていた。日誌には、「１８４１年６月28日（月）午後１時、２隻のボートを降ろし、岸辺に海亀を探しに行く。３時にボートは帰ってきた。５人の中国人か日本人を連れ帰った。遭難して、この島に漂着したという事だった。彼らは、泳いでボートに乗り移ってきた。何もしゃべらない。お互いに身振り、手振りでしか理解しようとしない。海岸に衣類と数個の箱を残してきたと言っているようだ。海岸に、１隻、２隻ではないであろう、難破した中国風ジャンク船の残骸があった。彼らをサンドイッチ（ハワ

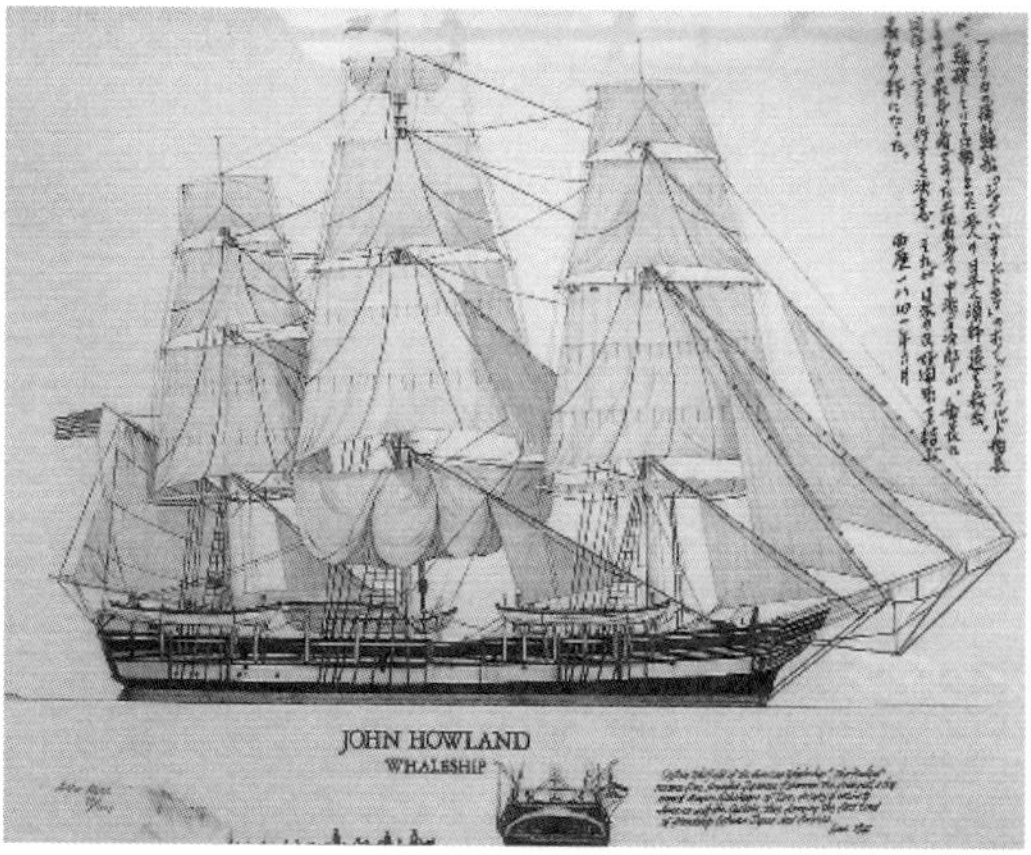

ジョン・ハウランド号

イ）諸島に連れて行くように手配する。1隻のボートを島にやって、彼らの衣類を取ってきた。数個の箱と40ガロン入りの樽が1つ、難破船の残骸の傍らに置いてあった。船は、10トンか15トンくらいだろう」と書かれている。

しかし、この時期に何故アメリカの捕鯨船が日本の鳥島近海で捕鯨をしていたのだろうか。アメリカ捕鯨の歴史は、先住民のアメリカインディアンによって始まった。新天地を求めてヨーロッパからの移民者である白人がアメリカに上陸する以前からマサチューセッツ州のナンタケット島でアブナーキ族というインディアンたちが主に肉を目的にクジラを捕獲していた。そのころは、捕鯨用の道具もまだ充実しておらず原始的な方法でカヌーを漕ぎ出してクジラを取り囲み木製のモリを打ち込んで捕えていたようだ。

ホイットフィールド船長

ナンタケット島の先住民が最初に捕獲したクジラは、北米でよく見られたセミクジラかコククジラだと考えられるが、あるとき、1頭のクジラが湾内に迷い込み、3日間もそこに居つづけた。島の人たちはこれを見て、好奇心に駆られ、工夫してモリをこ

しらえて、そのクジラを仕留めたのである。これに気をよくしてナンタケット人は捕鯨を始めた。それがアメリカにおける捕鯨の歴史の始まりである。

17世紀の半ばを過ぎたころから、ナンタケット島で組織的に捕鯨をするようになる。しかし、本格的な捕鯨は、この島に白人が移住してからである。特にイギリス人で宗教の新天地を求めたプロテスタントのクエーカー教徒たちであった。インディアンの言葉で「遠く離れた海上の地」の意味で呼ばれたナンタケット島にクエーカー教徒の楽園を作った。当初、農耕に携わったり、海辺で貝を拾ったり、サバやタラなどを捕って暮らしていたが堅実でまじめな教徒たちはやがて捕鯨を組織的に永続的な事業として発展させてきた。

こうして、18世紀を迎えたナンタケット島では、白人も原住民もオールを握ることのできる人はだれでもクジラ捕りになれた。当初は、小さな捕鯨ボートに乗り、冬の季節に沿岸でセミクジラを獲り、先住民の捕鯨法に頼っていた。しかし、マッコウクジラを最初に捕獲した時に頭部から汲み出した鯨蝋《げいろう》は、万能薬として重んじられ、それまでの獣脂ローソクよりも最上級家庭用の照明ランプとして、また灯台の灯りとしても使用され重宝がられた。まだ、この時代は、家庭用の照明灯りとして石油も発見されてなく、

もちろん、電灯の技術も発明されていない時代である。

斯くしてアメリカの鯨製品は、当時のアメリカの国民にとって生活に欠かせない必需品として評判が高くなってきた。マッコウクジラの頭部からとれる鯨蝋は、良質のローソクの材料に、セミクジラからとれる鯨油は、一般の照明灯や機械油として区別され利用されていった。鯨髭は、縄、女性用コルセット、乗馬用のむち、傘の骨などに加工された。龍ぜん香は、マッコウクジラの腸内に発生する結石であり、貴重な天然香料として、薬品、そして媚薬として高価で貴重なものであった。また、鯨捕りが、マッコウクジラの歯に彫刻をほどこしたスクリムショウは、高度な庶民の芸術品となった。

よって、当時の遠海の漁場で働く捕鯨員たちは、アメリカ・ヨーロッパの多くの家庭が自分たちの鯨製品のおかげで快適で幸福な生活を送っているものだと自負していたようである。

一方、当初における捕獲したクジラは、港まで船で引いて陸上で解体していたが、船も大型化してくると物理的にも技術的にもそれを航海中の船上で解体処理ができるようになった。やがて、近海のクジラの数が減少していくにつれて、逆に鯨製品の需要が増加してきたのでナンタケットのクジラ捕りたちは、遠洋に乗り出して行くようになった

のである。大西洋の北はグリーンランド、南はアルゼンチンのフォークランド島、東はアフリカ西海岸と操業範囲を拡大し1775年にはほぼ太西洋全域に及んで捕鯨が行われたようだ。捕鯨船も25トンのスループ型帆船に始まり、徐々に大型化し、捕鯨用道具や技術も改良されてきた。

この時期に、イギリス人のゴスノルドという移民者が先住民のインディアン親子からニューベッドフォードの土地を買い取ると徐々に経済活動がはじまり、白人の定住者が増えてきた。そして、彼らも捕鯨競争に参加するようになり、1780年になって、その土地を3つに区分し、そのひとつがニューベッドフォードの街となり1847年に市制を敷くことになった。

当初ナンタケットの鯨捕りたちは、セミクジラもマッコウクジラも手あたりしだいに獲っていたが、やがて、ニューベッドフォード港から出航する捕鯨船は、その対象を商品価値の高いマッコウクジラだけに絞って捕鯨するようになってきた。

1775年に始まった独立戦争によって、アメリカは、本国イギリスからの独立を勝ち取ることになるが、その一方で捕鯨業は鯨油の需要が減り大打撃を被ることになった。しかし、1790年代になると、徐々にマッコウ油の需要が増してきたのでアメリ

カの捕鯨業に明るい兆しが見え始めてきたのであった。

1791年には、ナンタケットのビーバー号、ニューベッドフォードのレベッカ号など6隻が南米ペルーの最南端のホーン岬を回って、太平洋に入りマッコウクジラに銛を打ち込み、マッコウ油を船倉に満たして帰国した。こうして、大西洋の漁場から太平洋のマッコウクジラ漁場の扉がついに開かれた。

アメリカの鯨捕りたちは、ひとたび大西洋からアルゼンチンの最南端ホーン岬を回り次々と太平洋へ乗り出し、新しい漁場を開拓してきた。そして、1800年頃までには、エクアドルやペルーの南米大陸西海岸一帯がマッコウクジラの漁場となり、やがて南太平洋、ニュージーランドの沖合、南インド洋などでもアメリカの捕鯨船がマッコウクジラを追いかける姿が見られるようになってきた。

1818年、ナンタケット島に船籍を持つグローブ号が赤道を西へ進み、太平洋の中心でマッコウクジラの群れを追い始めた。こうしてアメリカの捕鯨船は日本近海に一歩一歩近づいてきていたのである。マロー号による日本沖の大マッコウ漁場の発見やイギリスのサイレン号も日本近海で調査捕鯨として1819年にロンドン港を出発し、日本漁場を中心としてマッコウクジラを追いかけた。1822年には、27768バレル（約

44万3千リットル）のマッコウ油を船倉いっぱいにして帰港したのである。

日本漁場は、小笠原諸島と日本列島の東海岸沖合に至る海域であった。日本海域での捕鯨季節は、夏から秋にかけて行われ、ちょうど台風の季節と重なっていた。その頃からのアメリカの捕鯨船は、アメリカ東部のニューベッドフォードを出港して、太平洋での捕鯨でもって船倉をマッコウ油で満たすと、その鯨油をハワイで降ろして空の樽に入れ替えると再び日本漁場に向かうことを繰り返した。そして、最終的に帰国するのは、出港してから3年から4年の歳月が経過して帰港するのが通常になってきた。

クジラ獲りたちにとって、最も危険な自然災害は、日本近海での台風であり、マストを3本も折られたり、座礁したりすることであった。しかし、それ以上に困ることは、目の前に連なる日本列島は、鎖国によって、どんな悲惨な事故が発生してもアメリカの捕鯨船を受け入れず、港を開けることはなかった。むしろ、徳川幕府は異国人が上陸することを警戒し、万次郎が生まれる2年前の１８２５年に諸大名に対して、鎖国の掟を破って上陸してくる異国人を追い払うため「外国船打ち払い令」を発動していたのである。その原因となったのが、１８２４年6月24日、水戸の沖合で操業していたイギリスの捕鯨船から2隻のボートに分乗して、12名の水夫が領内の大津浜に上陸してきて大騒

動となった。同年に、薩摩宝島へイギリスの捕鯨船員が上陸して牛を奪って逃げ去るという事件をきっかけに打ち払い令が発動したのだ。

その頃、アメリカの東部地方においては、マサチューセッツ、ニューイングランド、ロングアイランドなどの沿岸にある港は、捕鯨でどこもかしこも活気に湧いていた。鯨製品に対する需要が、加速度的に増加していたのである。1833年にアメリカが所有していた捕鯨船の数は392隻、総トン数13万トン、総船員数が1万人を超えて、捕鯨業が行われていた。それが、万次郎らが救助される2年後の1843年には、捕鯨船が2倍近くの675隻、総トン数約20万トンに達し、ほとんどの捕鯨船が太平洋に出漁し、1万5千人以上の捕鯨船員が捕鯨業に励んでいたのである。

まさに、万次郎らが鳥島に漂着して死ぬか生きるかを彷徨《さまよ》っているとき、多くのアメリカ捕鯨船が小笠原諸島近海において鯨を捕っている時期だったのだ。そのような歴史的な時代背景からして万次郎らが救助されたのも、偶然ではなく必然的なタイミングだったのだろう。その証拠に、多くの遭難した日本人がアメリカの捕鯨船に救助される事例が急に増えてきたのもこの時期からである。米国の捕鯨船ジョン・ハウランド号も例外ではなく太平洋の鳥島近海にマッコウクジラが多くいたので、マッコウ油を目的に

1841年の6月ごろ小笠原諸島と伊豆半島の間にある鳥島近海で捕鯨をしていたのだ。万次郎とホイットフィールド船長は、広い太平洋上で運命的な遭遇をしたのである。

万次郎らは、遭難した時に北方に流されず、黒潮大蛇行が発生していたため南東に流され、アホウドリの繁殖時期の鳥島に漂着したことは幸運であった。そのアホウドリたちも巣立って島から消えると食料も無くなり死を覚悟した時にアメリカの捕鯨船に救助されたことは、まさに運命的な出来事であったのだ。歴史は、偶然ではなく常に必然的事件の連続性とするならば万次郎らの救助も起こるべくして起こった事件と言えるだろう。

8　初の捕鯨体験

万次郎らが救助された6月ごろになると、鳥島の沖合にマッコウクジラが群れをなして移動していた。1840年代に捕獲されたマッコウクジラの数は、アメリカのニューベッドフォード捕鯨博物館にある資料によると5万3877頭。当時の太平洋上でアメリカ捕鯨船として登録されているだけでも735隻が捕鯨漁を行っていたというから、いかにこの時季に、米国の捕鯨漁が日本沖合で盛んであったかというのがわかる。

万次郎ら5名は、救助された時にこの船の正体がわからなかった。船に乗ると、肌の色や髪の色、目の色が日本人とは全く違う人種に戸惑いもあったが時間と共に感情を持つ同じ人間であると気付き始めた。これからどこに連れて行かれるのか、一切のコミュニケーションが取れず不安な日々が続いた。しかし、すぐにこの船が鯨を取る捕鯨船であることが分かってきた。「ライマン・ホームズの航海日誌」によると万次郎たちが救

出される6月28日の様子がよくわかる。日記には、日付とその右端に鯨の尻尾だけの絵もあれば、体全部の鯨が描かれている絵もある。それには意味があり、尻尾だけの絵は、クジラを発見したけど捕獲はできなかった場合で、クジラ全体の絵は、クジラを発見しその鯨を捕獲できた場合の意味合いで描かれている。だからこの日記を見ると、何日に何頭のクジラを発見し、そのうち何頭のクジラを捕獲したかがわかるのである。そういう訳で、万次郎らが6月28日に救助されてからハワイに到着する11月22日までの約5カ月間でライマンホームズの日記の中に体全体の絵が描かれたクジラを数えてみると、捕獲した数が22頭であることがわかる。万次郎ら5名は、救助された時にこの船がただの漁船なのか正体がわからなかった。日が経つに連れ「ジョン・ハウランド号」という船がアメリカの捕鯨船で鯨を捕獲し鯨油を搾り取るのが目的で航海していることもわかってきた。ライマンホームズの日記によると、7月3日に4頭のマッコウクジラを発見したが、海が荒れていたので捕鯨ボートを降ろせなかった。翌日にも5頭のクジラを発見するが捕獲はできなかった。しかし、万次郎が遂に目の前でジョン・ハウランド号が捕鯨船であることを知ることになったのは、1841年7月7日に2隻のボートが本船から降ろされ、クジラ2頭を銛で刺して、それを本船の舷側にしばりつけるまでの

様子をつぶさにみることができてからであった。クジラの皮下脂肪を切り取るために早速解体作業が始まった。まず最初に船の舷側から2人の男がスカーフィング・スペイドと呼ばれる長い柄のついた切込み用大包丁を使って、本船の側に横付けして固定されたクジラの胴体の皮の上から切り込んでいった。そして、ボーディングナイフで先端近くの皮に穴をあけてクレーンのカギをその穴に掛けて、そのまま引き上げながらクジラの胴体がくるくると回転しつつ脂肪皮が面白いように剥がれてくるのだ。その剥がされた脂肪皮の長さが約4メートル、幅2メートル程度になったものは、ブランケットピース（毛布皮）と呼ばれ、それを更に長いボーディング・ナイフで切断していく。そして、その切断されたスカーフと呼ばれる脂肪の断片をミンチング・ナイフという大型ナイフを両手で押さえながら等間隔で刻みを入れる。そうすることにより、窯の中で煮るときに脂肪に効率よく熱がいき届き溶けだしてくるのだ。

甲板上に即席かまどを作り最初に薪を使って火をおこし燃えてくると、次に脂肪の塊を窯の中に入れる。すると、熱が高くなってくるに連れて真っ白な個体の脂肪から油が徐々に溶けて搾り出され油が窯を満たしてくる。最初に窯の中に入れた脂肪の塊はやがて油かすになるが、それを柄杓で掬いだしてかまどの炎の中に入れて燃料として活用す

る。その時からは、薪を一切使わずに脂肪の搾りカスが燃料として使われ、油かすを燃料資源として再利用しながら最後の脂肪の塊まで油を搾りだすのである。

窯の中で搾り取った鯨油を窯の傍に添えつけてある容器に入れて、油の温度が下がると樽に入れてそれを船底に移して隙間なく樽を並べていくのだ。そして、船倉が鯨油の樽でいっぱいに満たされると、その樽は太平洋の港と呼ばれるハワイのホノルル港で降ろされた。その後、空っぽの樽を船底に積み込んで、再び日本近海の漁場に向かう。それを3年程度の期間で繰り返しながら、より多くの鯨油を効率的に本国に送り込むやり方が当時のアメリカ式捕鯨業だった。

それら一連の船上でのクジラ解体作業の一部始終を見ていくと万次郎の眼はその都度かがやき、何かしら好奇心が湧き出てきた。大きなクジラをいとも簡単に仕留め、効率よく解体し迅速に鯨油を絞りだし樽に貯蔵していく工程は、生まれて初めて見る光景であった。万次郎は、じっと作業を見るだけでは我慢できず、仕事の手順を見て覚えながら水夫たちの中に入り込み、いつの間にか邪魔にならない程度に手伝うようになっていた。好奇心が旺盛になる14歳頃の少年期によくある特性だ。クジラ解体の光景は、実に刺激的であり万次郎少年の好奇心を大いにそそるものであった。それは、始めて見るナ

舷側に固定したクジラを解体する様子

イフなどの道具から物珍しく新鮮であり、いとも簡単にクジラを仕留めて、解体する作業を見るだけでも面白くてたまらなかった。

万次郎は、生まれ故郷の土佐において寺子屋で読み書きすらやったこともなく、学ぶ機会もなく教育らしきものを一切受けていない少年であった。伝蔵たちも同じように捕鯨の光景をみて驚きを隠せない様子だったが、ただ茫然と作業の様子を見ているだけで、一緒に手伝うとか仕事をするというよりも、ただ邪魔にならないようにして甲板の片隅に座り込んでいた。しかし、13歳から16歳頃の少年にありがちな珍しいものは見てやろう聞いてやろうと旺盛な好

奇心を持つ時期にあった万次郎には、ただ見るだけでは満足しなかったようだ。また、この時期は、少年期の特性として論理的に物事を考え始める時期なので、言葉をしっかり意味で理解し始める時期にあった。語彙の意味を理解し理論づけて考え、自らの言葉で話そうとする年齢の時期に万次郎は達していた。それは幸いなことだった。捕鯨の世界を目の当たりに見せつけられた時にそれらの作業そのものを意味づけて論理的に理解しようとしていた。クジラの解体作業ひとつとってみても、効率的で迅速なチーム作業であることに気付いた。その意味では、実に刺激的でタイムリーな経験をしたことになる。

万次郎は、誰に命令されるでもなく、ひとり立ち上がり、水夫たちの後ろから捕鯨の仕事を見ながら理解し実践で覚えようとしていたのだ。好奇心旺盛なその時期の万次郎の頭の中は、目の前で起こっている物事を論理的に理解しようと必死になっていた。万次郎の柔軟な想像力と積極的な行動力が発揮されると、白人も黒人もポリネシア人もいる船の中でグローバル感覚で新しい世界観が育ちつつあった。その証拠に万次郎は瞬く間に仕事の手順を覚え、次に水夫たちが話す英語という外国語を乾いた砂が水を吸うがごとく理解し始めてきたのだ。

その後も、ジョン・ハウランド号は、ハワイへ向かいつつ1週間に1頭のペースでクジラを捕獲し続けた。万次郎はこの間、クジラを捕獲する度に捕鯨技術を身に着け、同時に英語の語彙の数も増えて会話も上達してきたのである。それから、万次郎は誰よりも視力が良かったらしく、他の水夫でも見えないような遠くのクジラまで、マストの上から発見することができたらしい。マストの上の「カラスの鴐籠」と呼ばれる見張り台に上り、クジラを発見すると大きな声で叫んだ。「ブローイング、シー　イズ　ブローイング」と叫ぶと水夫たちは「おお、クジラが潮を吹いているらしいぞ」ということで、水夫たちがその声を合図に全員が持ち場に着いた。銛打ちがひとり、幹部水夫がひとり、漕ぎ手4人が捕鯨ボートに乗り移り本船から降ろされた。漕ぎ手が目標のクジラを目指して近づく。そして、目の前にいる鯨を銛打ちの男が鯨の肺をめがけて急所に狙いを定めて銛を打ち込む。クジラとの死闘が始まり、やがてクジラは泳ぐ力もなく疲労と出血多量で動けなくなった。そして、仕留めた鯨は、皮に切れ目を入れて剥がして船の甲板の上に脂肪の塊を運ぶ。そのような一連の場面をハワイに着くまでに万次郎は22回経験することができた。

ちなみに、残った肉は不要なのでそのまま海に捨ててサメのえさとした。水夫は、ク

ジラ肉を食べる習慣がなかった。また、新鮮な肉を保存する冷凍庫のような技術もなく、塩漬けも作れなかったため、しばらく生肉を置くとすぐに腐れたので捨てるしかなかったのかも知れない。そのような経験を積み重ねてハワイに着くまでの１４７日間に、万次郎は、ジョン・ハウランド号の船員の中にしっかりと溶け込んで少年から大人へと成長していたのである。

しかし、伝蔵たちは相変わらず水夫や万次郎の働きを見るだけで自ら立ち上がり、手伝おうともしなかった。どこに連れていかれるのか知る由もなくただその事のみを心配しているだけのようであった。新しい未知の世界にも興味がわかず、希望も持てず、故郷の土佐に戻ることだけを考えていた。ただただネガティブな発想だけが頭をよぎって何をするでもなく時間だけが過ぎ去っていたのだろう。

伝蔵や五右衛門たちと違い、万次郎の好奇心と不撓不屈の精神はどんな困難にあってもくじけることなく、挑戦することを続けた。そのひるまない働きぶりを誰よりも興味を持って注視していたのがジョン・ハウランド号のホイットフィールド船長であった。船長は、万次郎の機敏な行動力、そして物分かりが早く知恵があり、前向きに生きようとするその姿に好感を持ち始めていた。

9　ハワイに寄港

1841年11月20日、ついに「太平洋の港」と呼ばれたハワイのオアフ島ホノルル港に着いた。鳥島で救助されてから、約5か月の捕鯨漁の航海を終えての寄港であった。船底に貯蔵していた大量の鯨油樽を降ろすことが第一の目的だった。それと、鳥島で救助した5人の日本人を降ろすという目的もあった。ハワイのオアフ島は、太平洋の真ん中に位置し、それ故にホノルル港は、「太平洋の港」と呼ばれていた。太平洋で取れた鯨油を現場の漁場から遠いアメリカ本国にその都度持ち帰るよりも、漁場に近いホノルルの港を拠点として鯨油を降ろし、専用の鯨油運搬船で本国に運んだ。その運搬船は、ハワイとアメリカ本国との間を定期的に往復して鯨油を運んでいた。そのようにして、安定的にアメリカ全土の家庭に鯨油がランプの燃料として供給されていた。ホイットフィールド船長は、鳥島で救助した5人の日本人もハワイで降ろして、中国行きの船

があればその船に乗せてもらって日本へ送り返すことを考えていた。しかし、船長はそのころから万次郎のことについて思索があったのだ。それは、5ヶ月間の間ではあったが、難儀で危険な捕鯨漁の環境にも適応していく有能な万次郎少年をアメリカに連れて行きたいという思いが船長の心の中で芽生えていたのである。そこで、まず最初に一番年上の伝蔵に「万次郎をアメリカに連れて行き、養育したいと思っている。決して粗相な扱いをするつもりはない。あなたが心配しているようなことは無きようにします」と連れて行くことの許しを心を込めてくり返しお願いをした。すると伝蔵は「仲間である万次郎と別れるのは本意ではないが、命の恩人であるあなたからのお願いであれば私は反対しません。ともかくも万次郎の心次第なり」と答え、「全ては、万次郎の考え方次第だと思っています。本人が承諾すれば私たち4人とも異存はありません」というジェスチャーを交え伝えた。そして船長は、面と向かって万次郎に「あなたをアメリカに連れていきたい。私と一緒にアメリカに行くか」と聞くと、14歳の少年は迷わず「アメリカに行ってみたい」と目を輝かせて答えた。すると、船長はその返事を聞いて大いに喜んだ。万次郎は、伝蔵たちと離れ離れになるだけに別れを惜しんでいるようだったが、それ以上に未知なる国アメリカに興味があった。

万次郎は、初めて船長に会った時から尊敬すべき素晴らしい人だと思っていた。そして、捕鯨船の水夫たちは面倒見のいい優しい人たちであった。そのような素晴らしい人たちの住むアメリカとはどんな国だろう。どんな嵐にも立ち向かう大きな捕鯨船を乗りこなす航海術、その技術で外洋を自由に航海し、捕鯨漁を生業とするアメリカという国を想像するだけで万次郎の好奇心は更に掻き立てられていた。

中ノ浜村と宇佐の港町しか知らない万次郎にとって、これまで土佐が世界の全てであった。万次郎が生まれた村は、土佐藩の一部であり、果たしてその土佐藩が日本という国の一部であるという認識が少年の万次郎にあったのだろうか。外国という観念すら無かった万次郎が、生まれて初めてそれに気づくのは、鳥島で初めて見たジョン・ハウランド号の水夫たちとの出会いであったに違いない。日本人とはちがう体つきと顔かたち、肌の色、服装そして言葉によってはじめて船員を異国人だと認識した。その異国人が

ハワイオアフ島のホノルル港
(「漂巽紀略」より)

住むアメリカに行くと、きっと今想像もできない何か新しいものがあるに違いないと思った。万次郎の好奇心は、その見知らぬ世界と土佐の違いをじかにこの目で確かめたいという思いが膨らんできていた。船員たちが住んでいるアメリカとはいったいどんな国なのだろうという好奇心が、万次郎に「行ってみたい」という言葉を言わせたのだ。そう決断すると万次郎は、持ち前の行動力で前に進むしかなかった。そのような万次郎をもう誰も止めることができなかった。

伝蔵、五右衛門、重助そして寅衛門は、ホノルル港でジョン・ハウランド号から降りると、ホイットフィールド船長は、4人を友人のジャッド博士に会わせた。ジャッド博士は、ニューヨーク州の生まれで夫人とともにホノルルに住んでいた。外科医としてアメリカ海外伝道協会に勤めた後、カメハメハ三世のもとに仕えていた。ホイットフィールド船長は、ジャッド博士に日本人の4人を世話するよう頼んだ。いつになるか分からないが、日本へ向かう船が見つかるまでは、しばらくオアフ島で生活をすることになった。オアフ島の西海岸にあるホノルル港から東側のコオラウ山脈を登ってカイルアへ向かった。標高900mのコオラウ山脈のヌアヌパリと呼ばれる絶壁の頂上に到着した。そこからは、オアフ島の東海岸が一望でき、伝蔵らにとって濃いグリーンの森から眼下

に見下ろすカネオヘからカイルア方面に広がる濃い緑の山と青い海と空が眩しく見えたに違いない。そこからの景色は、絶壁の崖がまるでカーテンを下げているかのようにほぼ垂直に切り立った崖になっており、ところどころで滝の水が白く落ちている。コオラウ山脈の東側に続く絶壁の崖は、海から吹く貿易風を受けて一年中強い風が吹き、霧と雨の日が多い。そのおかげで崖の下は、水の豊富な畑地が広がっている。さらに西側に広がる絶壁の下には、小川が流れ海岸まで広がる緑豊かなカハルーの畑地が続いている。そこは、オハフ島の賑やかな表側になるホノルルとは違い、現地人が住んでいてどちらかというと静かな質素な営みがある。地元ハワイでは、ここを「裏オアフ」と呼んでいる。

伝蔵と弟の重助、五右衛門そして寅衛門は、裏オアフと呼ばれるカネオへの畑が広がるこの地で学校の守衛兼用務員や農業や大工をしながら生活を営んだ。残念ながら重助は、鳥島での足の骨折が原因で１８４６年に31歳の若さで亡くなった。重助の墓は、カネオへの共同墓地にあり今も静かに眠っている。

ちなみに、日露戦争を機に沖縄から多くの契約労働者がハワイのサトウキビ畑で働くが、その契約が切れると彼らはより良い生活を求めてそのままハワイに住み着いた。そ

の後も多くの移民者が親戚の呼び寄せや嫁になる女性たちがピクチャーブライドとしてハワイに来るが、彼らが最初の時期にパイナップルを作り、農業をしながら住み着いたのがこのカネオへの裏オアフであった。

寅衛門は、家の修理など大工をして生活しながら、やがて地元の女性と結婚し家庭を持ち、オアフ島で幸せに暮らしていた。遭難した時の死ぬ思いを経験してから、荒々しい天候の海を見るだけでその時の恐怖が思い出されトラウマとなっていた。今は、家族ができてからというもの危険もなく、本当に平和な安堵した生活を大事にしたいと思うようになっていた。

伝蔵と五右衛門は、いつかは故郷の土佐へ帰ることだけを思い、再び日本で暮らすのを心底から願っていた。そして、遂に二人は、1848年に日本へ帰れる船があるということでその船に乗って帰国を試みたのだが、日本本土には上陸できず失敗に終わりハワイに戻る経験をした。それでも伝蔵は、次の帰国のチャンスを待ちながら、いつも思うは家族の住む宇佐であった。

1841年12月2日に万次郎だけが伝蔵たちと別れ、ジョン・ハウランド号でホノルルを出航した。そして、マッコウクジラの好漁場であるハワイから南西に約4千キロ離

母子クジラを見つけると、まず子クジラにモリを打つ当時の捕鯨方法

れた赤道上のギルバート諸島を目指した。万次郎は、乗組員となり引き続きジョン・ハウランド号で異国人である水夫たちとともに捕鯨漁の航海に出た。群れで泳いでいる鯨を発見すると、本船から7名乗りのボートを降ろし、オールを漕ぎながら鯨に近づきモリを打った。当時の捕鯨は、親子のクジラがいれば先に子鯨にモリを打つ。すると母鯨は、子鯨を守ろうとして何が起ころうとも絶対に子鯨の側を離れようとしない。マッコウクジラの母親のそのような性格を水夫たちは良く知っていた。最初に子鯨に銛を打ち、最終で目的の母鯨を容易く射止めることができるのだ。母鯨の肺に正確にモリでとどめを刺すと噴気孔から

真っ赤な血潮が噴き上る。モリで刺された母鯨は、死にもの狂いで暴れながら出血し、体力が落ち徐々に力尽きて動きが鈍くなる。さらにモリ打ちは、クジラに近づきランスという大包丁を肺まで突き刺し、それを刺したままで肺の中をこねまわす。しばらくして鯨は、小さな弧を描いてもがきのた打ち回る。そして出血した肺の赤い血が噴気孔から噴水のごとく真っ赤な血を吹き出し動かなくなる。水夫たちは、その噴気孔からの真っ赤な血が噴き出る瞬間を見て『Chimney is afire!（暖炉に火が付き煙突から炎が噴き出た）』と表現して歓声を上げるのだ。

窯で搾り出した鯨の油は動物などの油と違い凝固しないので、液状のまま樽の中に入れて保存する事ができる。鯨油ランプは、つまみを回して芯を出し、そこに火をつけると油が徐々に吸い上げられ芯が燃え続けその炎が灯りとして照らす仕組みになっている。鯨油は、どの動植物の油よりも明るく輝き、ススが少ないという特徴があったので家庭の灯として重宝された。鯨油は、家庭の灯りだけでなく、夜間の航行する船を安全に誘導する灯台の灯りにも使われていた。また、当時は、アメリカ東北部において産業革命が起こり、南部のアフリカからの黒人奴隷を使って綿花を育て、その綿花を原料として機織り機を使って木綿の厚手の生地を織っていた。鯨油がとても粘りがあるという

事で機織りの機械油として工場でも多く使われていた。

万次郎は、伝蔵たちと別れてから約2か月が経ち、気づけばその間日本語を一切話していなかった。船での生活は英語を話すしかなかった。日本語を話す相手がいないので日本語を話す必要がなかった。それは、万次郎にとって初めての経験だった。

1842年2月頃にはギルバート諸島に近づいていた。その頃には、鯨油を搾り取るときに使うかまどに入れる薪と水夫の飲料水が底をつきそうになっていたので、船長はギルバート島でそれらを補給することにした。

ギルバート諸島は、15の島から構成され、緑のヤシの木が生えて、海抜6メートルのサンゴ礁の上にできた島々である。捕鯨船を港に近づけていくと途中で多くの原住民がカヌーに乗って本船に近づいてきた。どうも錨を下す前に本船を取り囲み交易を望んでいるように見えた。万次郎は、本船から彼らの様子を興味深く観察していた。そこの原住民は肌が色黒く、刺青をしていた。男女とも裸で、女はヤシの葉でひそかに前を覆っているだけであった。男女が船に上がって来て男がアヘンか煙草を船員からもらうとその代わりに自分の妻を借そうとする男もいた。そして、ほとんどの人は、新鮮な果物、手作りの帽子、敷物、ヤシの実やおもちゃの弓矢を持って売りに来た。水夫たち

は、持っていた煙草と壊れたチェーンや捕鯨船で不要になった鉄くずを通貨がわりに渡して、彼らの土産物と交換していた。その物々交換は、見たところ島人がとても喜び、お互いが満足げな交易に見えた。鉄は、彼らの生活にとって農具や武器として貴重なのだろう。その時に万次郎も弓矢をひとつ土産に交換した。土佐にいては、見たこともない光景だっただけに、世界にはこのような小さな島で自分たちとは肌の色が違う人たちが一生懸命に生きていることに驚きと不思議さと何よりも好奇の目で眺めている万次郎がいた。そこの社会は、日本人の万次郎にとって理解できない倫理と文化的価値観が大きく違い圧倒されるばかりであった。しかし、見た限りにおいてお互いに争う事もなく幸せそうに暮らしているようでもあった。ギルバート諸島近海でしばらくマッコウクジラを追いかけて捕鯨漁に従事した。その後、ジョン・ハウランド号は、航路をグアム島に向けて航海を続けた。

万次郎は、ほぼ捕鯨の段取りや仕事の流れを覚えてくると、正規の船員と同様に一々指図されずに自分で考え働けるようになってきた。それと言語も捕鯨船の中でネイティブの英語発音を耳で聞き英語を覚えていた。日本語の音にはない英語独特の発音もネイティブが話す音で唇と舌の動きもスムーズに発することができるようになっていた。日

増しに他の船員に徐々に聞きやすい英語として聞き受け入れられていることも万次郎は気づいていた。外国語を学ぶにおいて文字から始めた英語学習ではない万次郎の英語だった。ネイティブの幼い子供たちと同じように親が話す言葉を耳で繰り返し聞き、英語を覚えてくる。それからすると、万次郎も、繰り返し英語の音を聞きながら意味を理解し、自然に英語で聞いて英語で考え、英語で答えていくという、気づかぬうちに日本

ギルバート諸島の現地人（「漂巽紀略」より）

語を介在しないでネイティブの船員たちとコミュニケーションをとっていた。水夫たちは、マサチューセッツ州の出身者が多かったので、万次郎の英語も自然とアメリカ東部のニューイングランド地方特有の発音、イントネーションの英語に馴染んでいった。万次郎は、「東」を「イシッ」とカタカナ表記しているが、英語教育を受けた日本人なら「イシッ」は「イースト」と表記する。しかし、万次郎は、それをネイティブの音でEAST（東）が「イシッ」になっている。同じようにWEST（西）を「ウェスト」ではなく、「ウエシッ」、SOUTH（南）を、「サウス」ではなく、「シャウス」そして、NOUTH（北）「ノース」を「ナウス」の発音となり、万次郎の表記する音が限りなく、ネイティブの発音に近い英語表記となっている。

10　ジョン・マンと呼ばれる

万次郎は、その後も捕鯨船の中で鍛えられ日々成長し年齢も15歳となっていた。そのころにホイットフィールド船長自身は、誇りをもって万次郎の後見人となることが自分の責任であり役割として受け入れていた。そして、船長は、万次郎を「ジョン・マン」と名付けた。その名前の出どころについては、複数の説があるが、ジョン・ハウランド号の「ジョン」と万次郎の「マン」から取って「ジョン・マン」と名付けたというのが通説である。英語のＪＯＨＮジョンは、ヨハネＪＯＨＮとも読むので、クリスチャンとして信心深い船長が聖書にでてくるヨハネの名前を使ったという説もある。何はともあれ、それ以来、捕鯨員たちから万次郎は、正式に仲間として受け入れられ「ジョン・マン」の名で慕われた。

１８４２年４月には、日本漁場でのマッコウクジラの季節に備えるためグアム島の

アプラ港でバナナ、ヤシの実、オレンジ、レモン、スイカなどの果実とそれ以外に豚、鶏、鴨、七面鳥などの肉類、それとコショウなど多くの食料等を買い込んだ。5月末には、小笠原諸島の父島に到着して、ここでも、豚、ヤムイモ、玉ねぎ、鴨などを仕入れている。そして、6月1日に父島の二見港を出港し、いよいよ日本漁場でのマッコウクジラの捕鯨の季節になってきた。ジョン・ハウランド号は、進路をジョン・マンが遭難した後で、避難していた鳥島の近くを通り過ぎようとしていた。船長は、1年前と同じ航路を航行していることをジョン・マンに告げた。ジョン・マンは双眼鏡で鳥島を見ながらかつて寅衛門、五右衛門の3人が立っていた岩礁を見つめていた。あの日の助けられた時の情景がくっきりと浮かんできた。ジョン・マンは、その日の夜は家族のことや伝蔵たちのことなどを思い出しながら普段よりも口数が少なく静かに考え込んでいた。すると、船員たちは、船内の水夫部屋で、5年前の1837年に起こった「モリソン号事件」について話しながら日本の鎖国政策をやり玉に挙げて議論していた。アメリカ船籍のモリソン号が7人の日本人漂流民を伴って、日本との通商とキリスト教の布教を目的に浦賀に来航したところ、日本側の「外国船打ち払い令」によって砲撃を受けたという事件である。それを知っていた水夫たちは、口々に「捕鯨漁をしながら食べ物、飲み

物がなくなり命にかかわることが起これぱどこの国でも我々を受け入れ救助するのに、日本という国だけは違う、助けてくれない。それぱかりか、遭難した日本人がアメリカ人に救助され、日本に連れて帰ろうとしても、処刑にする恐ろしい国だ。それに、外国船と分かればすぐに大砲で打ってくる何て酷い国だ」と意見を交わせていた。その時に、日本人で自分の故郷に思いをはせているジョン・マンに向けて、船員たちが、「そのような酷い国に無理して帰らなくてもいいのではないか、俺たちと一緒に捕鯨漁をしてアメリカで住んでもいいんじゃないか」と日本の不条理な制度を批判しながら、ジョン・マンに日本に帰るよりも、そのままアメリカに住むことを勧めてきた。それは、同時にジョン・マンを慰めているかのようでもあった。

１８４２年8月になるといよいよ日本の近海から遠ざかり、10月26日にハワイのカウアイ島のワイメア港に入港した。そこで、一シーズン契約で捕鯨船員として採用していたカナカ島の若者たちを降ろしてから、食料のポテト、タロイモ、ヤギ、豚、砂糖などを買い込んで10月31日には、南太平洋に向かい南下しながらソシエテ群島に向かった。ソシエテ群島でもひときわ大きな島がタヒチ島で船から見るとひょうたんの形をしている。ジョン・マンは、初めて南海の楽園と呼ばれるタヒチの美しい風景を見ていた。ヤ

シの木が貿易風にそよぎ、透明度の高い青い海と白の砂浜との美しいコントラストに感動し飽きることなくエキゾチックな南太平洋の島々を眺めていた。ここタヒチは、毎年8月から10月にかけて、ザトウクジラが子育てのためにこのタヒチ近海に来ることをホイットフィールド船長が教えてくれた。

12月9日、ジョン・ハウランド号は、舵を南東に向けアメリカ本国への帰港の途についた。南太平洋を南下しながらペルー国の西海岸から南アメリカの最南端でアルゼンチンのオルノス島の最南端の岬に達した。そこは、ホーン岬と呼ばれ裸岩の断崖になっており、近海は流速の早いホーン岬海流が流れ荒天が多く航海の難所で有名である。そして、この岬が太平洋と大西洋の境界となっている。ホーン岬を周ったのは1843年2月10日ころであった。ホーン岬を通過して南大西洋に入ってからは、舵を東北東に、そして北東へと進路を変えながら北に進んだ。アルゼンチン、ブラジル国の東海岸を北上しながら4月9日にはバミューダ諸島の海域を抜けた。そして、アメリカ東海岸のマサチューセッツ州に近づいてくると左方向にまばらに街の景色を見ることができた。

ついに目的地であるニューベッドフォードのバザーズ湾にジョン・ハウランド号は、1843年5月8日に錨を下したのである。ジョン・ハウランド号がジョン・マンをホ

ノルルで再乗船させて524日目であった。ジョン・ハウランド号がこのニューベッドフォード港を出帆してから3年6か月と7日に渡る捕鯨の旅を終えたのである。その期間の収穫は、マッコウクジラの鯨油が2761バレルであった。捕鯨漁の仕事は、危険に満ち、労働条件は劣悪でとりわけ食糧事情は水夫の最大の不満の種であった。そのため脱走者は後を絶たず、今回のジョン・ハウランド号の場合も、故郷へ帰りついたのは乗組員28人中16人にすぎなかったという。ちなみに、航海中に脱走した水夫の不足分は、航海途中に立ち寄った港で補ったりした。他の捕鯨船でけんかや脱走で降りた水夫と中途契約を交わして採用した。例えば、今回もシーズン契約でハワイのカナカ島で船員を採用していた。ジョン・マンは、途中からの乗船ではあったが、水夫同士の喧嘩や船長に対する不満で船から脱走するなど過酷な船の社会の中で生きてきたのだ。唯一の日本人として万次郎だけが経験することのできた太平洋から大西洋を股に掛けた壮絶な命を懸けた体験だったと思われる。万次郎少年は、今ではジョン・マンと名乗り逆境を糧にしてさらに強い男に成長していた。

世界で最大の捕鯨基地と言われたニューベッドフォードの港に、あまりにも多くの捕鯨船が停泊しているのを見て、ジョン・マンはその数に驚きを隠せなかった。実際

に、その時の捕鯨船数は、２００隻余り係留されていたようで、ホイットフィールド船長は、ジョン・マンの驚いている様子を横から見て微笑ましくも頼もしく思った。そして、これからのジョン・マンの将来について一計を巡らせていた。後にその一計が万次郎の人生を大きく変える決定的なものとなる。それは、「教育」だった。

船長は、ジョン・マンが将来日本に帰るであろうとも、そのままアメリカに滞在しようともジョン・マンに必要なのは教育を受けさせることだと考えていたのだ。船長がそうであったように若い時に専門的な教育を受けて、そこで学んだ考え方のお陰で、つまり数学から学ぶ考え方、物理学から見える考え方、航海術から学ぶ考え方は、それらの学問の「知識」の積み上げから始まる。

その知識を組み立てて考え真理に近づき、それを幅広く応用して「知恵」が生まれてくる。それが生きるときに必要な物事の考え方となり、知恵となる。何か問題が発生した時に解決してくれるのが知恵であることをホイットフィールド船長はよく理解していた。船長は、ジョン・マンにこれから教育を受けさせることにより、ジョン・マンの成長に繋がると自信を持っていた。そして、ジョン・マンの成長に期待が膨らみ、どのような素晴らしい人間になるのか楽しみにしたのである。ここまで幸運が続くとジョン・

マンは、「生きている」というよりむしろ自分が「生かされている」ことに気づき始めたに違いない。

第3章　米国留学

11　初のアメリカ上陸

ニューベッドフォードの港には、船員たちの家族や親しい友人たちがジョン・ハウランド号から降りてくる船員を迎えようと今か今かと待っていた。港を出発して3年以上も待っていた家族である。夫の無事な帰りだけを祈っていた妻たちである。その中には、夫が出発する前に身ごもり、夫の航海中に誕生した赤ちゃんを一刻でも早く見せたくて父親が船から降りるのを待ちわびている親子もいた。そのような長旅を終えた男たちのために家庭をしっかり守っていた女たちとの再会の情景は、実にドラマチックなニューベッドフォードの港の光景だった。そして、ジョン・マンもホイットフィールド船長に連れられてその人ごみの中に交じり、これまで世話になった船員たちと別れの挨拶をしていた。久しぶりに大地を踏みしめながら、見知らぬ世界に一歩踏み込んだジョン・マンは、少々不安もあったが、アメリカと言う国への期待が大きく膨らんでくるの

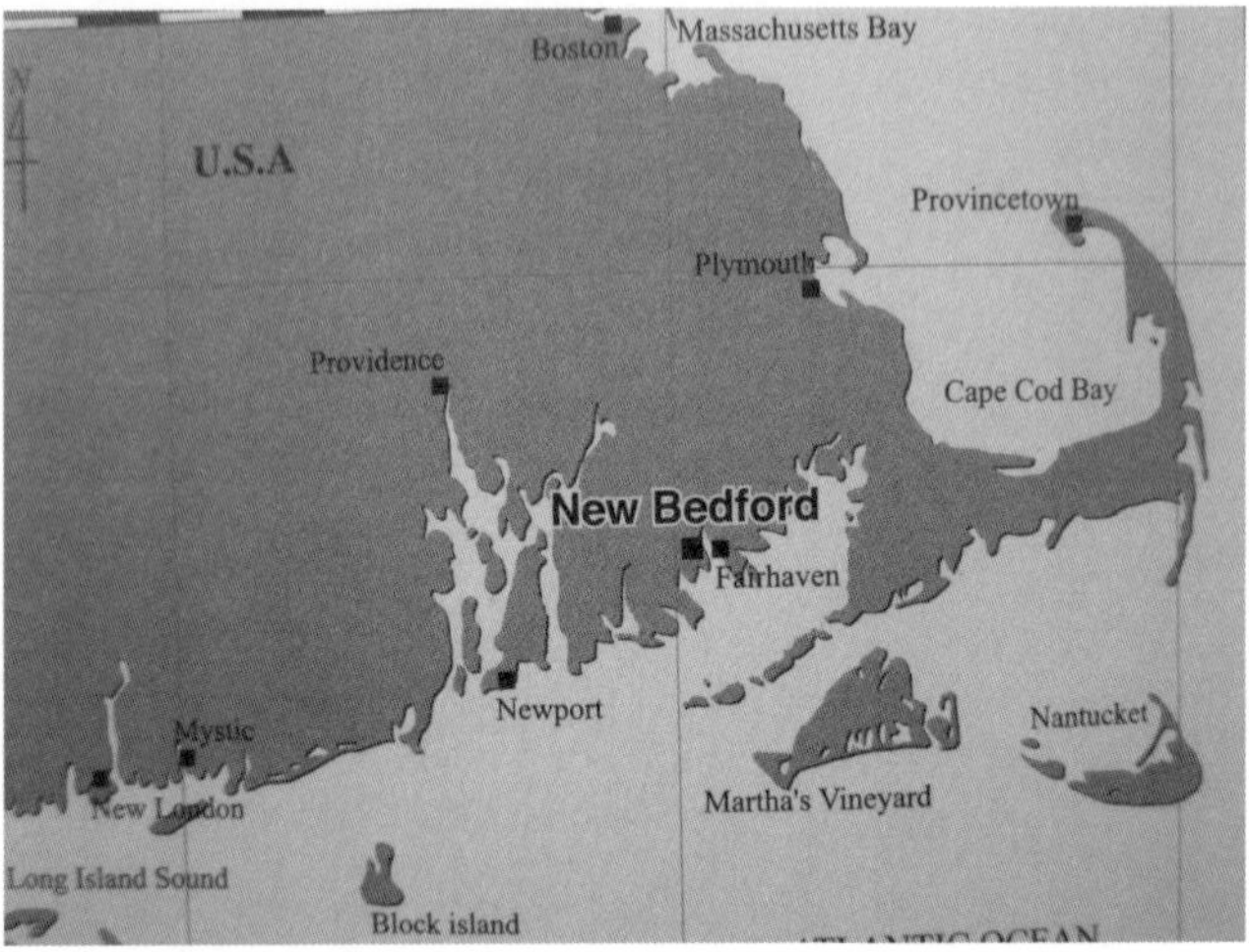

米国マサチューセッツ州のニューベッドフォード周辺

を感じていた。それが何なのかまだわからないが何かワクワクするものが心の中で踊っている。

下船したニューベッドフォードの町は、当時のアメリカが保有する捕鯨船数が６５４隻のうちこの町の港の保有する捕鯨船数が２１１隻で1位、ナンタケットが83隻で2位、そしてフェアヘーブンが49隻で3位だった。そのニューベッドフォードの街は、さすがにアメリカ最大の捕鯨の街であるだけに、捕鯨に関連する産業が盛んで、ろうそくなどのクジラ製品、造船、銛、大包丁、油桶などの製造業で栄えていた。

そのような捕鯨の街の繁栄ぶりを見なが

ら、船長はジョン・マンを連れて、ジョン・ハウランド号の船主である「J&Jホーランド」事務所へ向かった。それは、今回の航海の鯨油収穫の結果と5人の日本人を救助したことの報告をするためだった。そして4人をハワイに降ろし、ジョン・マンひとりだけを連れてきたと紹介した。そこで、船長は、ジョン・マンをみんなにひと通り紹介して、捕鯨の仕事について話し合いを始めた。そして、ジョン・マンに事務所の入り口の近くにある大きな窓のそばに座っているように言った。

ジョン・マンは、その窓から街の様子を見ながら多くの人たちがそれぞれに小走りに動き回る姿を愉快に見ていた。特にそこから見える女性たちは、長いスカートのドレスをつけてブロンドの髪にブルーの眼が印象的だった。1年前に太平洋の島々でみた肌を露出していた女性たちとは対照的であった。また、日本とは違う街の作りや家の形の違いを見て、何で違うのか、頭の中で勝手にその理由を考えていた。港の多くの漁船も驚きだったが、街の様子に目をやると雨が降っても泥濘にならないように敷かれた石畳の道を馬車が荷物を運んでいる。その道沿いに並ぶいろんな店や遠くには、港を超えて大きな川が流れ、その向こうに木々の間から尖がり帽子だけが飛び出たような教会の尖塔が見えた。土佐では見たことのない景色を飽きることなく見とれていた。やがて、ホ

イットフィールド船長は、仕事の話が終わるとジョン・マンに声を掛けて事務所を出ることにした。そして、次は税関事務所に寄って航海の報告書を提出する必要があったのでジョン・マンも一緒に石畳の道路を歩いて行った。

船長は、税関事務所の職員に出港した時に乗船した28名の船員の名前と出身地の名簿を先に提出した。そして、一緒に帰港しなかった船員の名前と出身地の名簿を次に提出した。その手続きが終わると、二人は、税関事務所を後にしてビジネスパートナーでありビジネスアドバイザーのチャップマン&ボニー社を訪ねることにした。ジョサイア・ボニーは、ホイットフィールド船長のいとこであるパーネルと結婚していたので親戚にあたる関係である。船長は、ジョン・マンをボニーに紹介してくれた。二人は、日本近海での捕鯨漁のことを話しているようだった。そろそろ昼食時間になろうとしていたのでボニーは、二人を自宅に招待したいと提案した。船長も最初は予定が詰まっており丁重に断ろうとも思ったが、ボニーはこの機会に航海のことや日本人漁師を救助した時のドラマチックな話を聞きたがっている様子だった。船長はそれを察し、ジョン・マンも一緒にボニーの家で昼食をとることになった。

ボニーの自宅では、ボニー夫人と娘のアンが急な客で少々戸惑いもあったが喜んで迎

えてくれた。そして、ジョン・マンはここで初めてアメリカ人の家族と一緒に家庭料理をごちそうになったのだ。食前に手を負わせ目を閉じて、神への感謝の意味で祈りをした。ジョン・マンも見よう見まねで祈りをしてフォークを持って大きな皿に盛られたサラダ野菜と牛肉、グレービーソースがたっぷりかけられたマッシュポテトが特に珍しくて美味しかった。腹がいっぱいになり香ばしいコーヒーを最後にすすって飲んだ。「とてもおいしかったです、御馳走様でした」と礼を言うと、船長は、これが一般的なアメリカ家庭の昼食だと言ってくれた。食事が終わってもみんなは日本人を救助した話で盛り上がっていた。ジョン・マンは、アメリカ人の家庭の雰囲気を味わい、冷静を装いながらも好奇心いっぱいに綺麗な家具を珍しそうに眺めていた。

昼食を終えて、コーヒーを飲み終えると食事の礼を言い、いよいよ船長は、ニューベッドフォードの事務所通りから港の方へ降りてきて、フェアヘーブンの自宅に万次郎を案内することにした。橋を渡って対岸に向かって歩くと教会の屋根や住宅が街路樹の間から見える。いよいよここが船長の言っていたフェアヘーブンの町だと思った。ところが、橋を渡っている途中で橋の中央部分に来た時に左右に分断し開いていくのを見て不思議に思って船長に何故なのか訪ねた。船長は、ニコッと笑って「これは木材で作

られた『引曳橋《いんえいばし》』というんだ。アクシュネット川の下流に架けられた『ニューベッドフォード・フェアヘーブン橋』と呼ばれている。」と説明してくれた。それでも、その橋をジョン・マンが物珍しそうにみているのに気づいたので橋について更に説明を加えた。「この橋は、ニューベッドフォードとフェアヘーブンとの間にかかる橋で、地元の漁師の中型の漁船が上流の港から海へ漁に行くとき、そして、漁を終えて港に帰る時にその橋が開くことによって横切ることができるようにしているんだよ。橋を可動式にして動くように装置した橋なんだ」と語った。ジョン・マンは、始めて見るこの光景に驚きを隠せず、臨機応変に船が航行できたり、馬車が渡れるようにした実に合理的に作られた橋なのだと気付き納得した。そう思った時、万次郎の思考は、町の作りや生活のあらゆる面で合理性に貫かれたアメリカ人特有の発想があることにも気付き始めた。10分から15分で船が橋を横切ると橋が閉まり道路に変わったので人と馬車が橋を渡り始めた。ジョン・マンは、この橋の構造に納得しながらニューベッドフォード・フェア

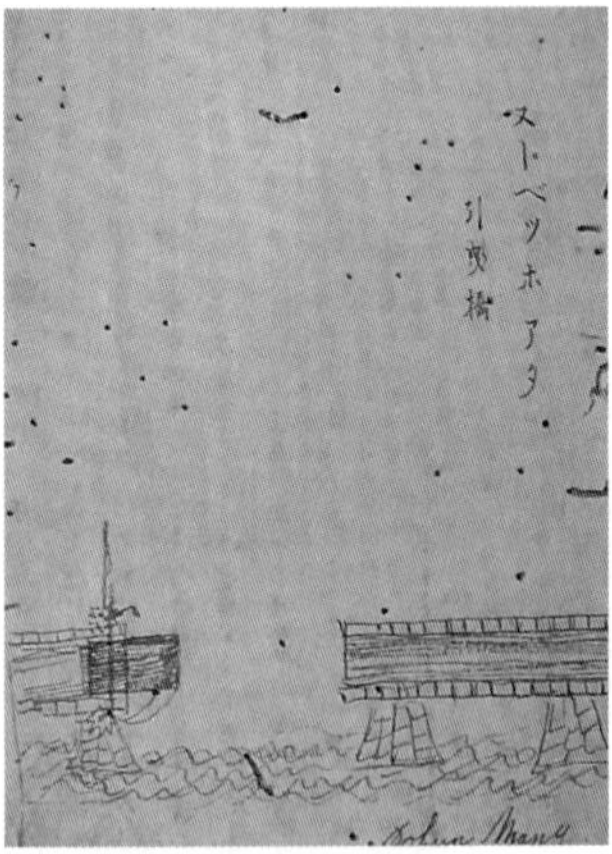

引曳橋(「漂巽紀略」より)

ヘーブン橋を渡った。橋を渡っていると荷物をいっぱいに積んだ馬車が来たので橋の側に寄って立ち止まり譲った。走行しながら橋を渡り終えると、その先にフェアヘーブンの街があった。

船長の自宅は、橋を渡り終え、左へ曲がりフェアヘーブンのチェリーストリート沿いにあった。自宅の前に着くと船長は、「ここが私の家だよ」と言った。ジョン・マンは、屋根の上に煙突もあるのに気づきしっかりした立派な木造の家だと思った。家の中に案内されるときれいに掃除もされて、最初に目についたのがニューイングランド地方ではどの家にもあると言われる暖炉というものであった。そして、壁には、いろんな備え付けの家具や服飾品が目に入った。すると奥の台所から女性が現れ、船長を見るや久しぶりの再会に二人はしっかりと抱きしめあった。船長の叔母でミリーおばさんである。二人は、ハグというアメリカ式の習慣的な挨拶として抱きしめあった。船長は、すぐにジョン・マンに気付き「おばのアメリアだ。私はミリーおばさんと呼んでいるがね。最近まで、私を育ててくれた私のおばあさんと一緒に暮らしていたが、そのおばあさんが亡くなってからは、この家に一人で住んでいるんだよ」と紹介してくれた。ジョン・マンは、ミリーおばさんの前で丁重に深々とおじぎをした。日本人のジョン・マンにとっ

ては、それが自然な気持ちを込めた日本風の初対面の人への挨拶であった。船長は、再びミリーおばさんと積もり積もった話を思い出しては語り始ていた。ジョン・マンは、家の中の家具などを見渡しながら、自分の育った中ノ浜の古いかやぶきの家を思い出して何気なく家の中の違いを見比べていた。

その日の夕食は、ミリーおばさんが二人のために御馳走をすることになり、船長は久しぶりにミリーおばさんの手作り料理を楽しみにした。ジョン・マンも大きな皿に盛られた肉や野菜をスプーンとフォークを使って、初めてのアメリカン・ディナーを味わいながらそのおいしさに満足していた。食事をしながら、船長は、これからのことをジョン・マンに語った。最初に船長は、フィアンセのアルバティーナ・ケイスと一緒にニューヨークに住むジョージおじさんを訪ねて、そこで結婚式をすることを話した。ジョン・マンをその間、古い友人のイーベン・エイキンに一時的に預けようと思っていることなど考えを説明してくれた。船長は、一度結婚を経験していたが、ルース夫人は、6年前の航海中に病気で亡くなり二人の間には子供はいなかった。長い間、独り身であった船長は、かねてから懇意であったフェアヘーブンのブリッジウオーターに住んでいるケイスと婚約中で、今度の航海から戻ると結婚し、捕鯨漁で稼いだ給金で土地を

買い新居を建てることも話してくれた。その時、ミリーおばさんも船長のこれからの計画を聞いて十分に納得して嬉しそうにうなずいた。

夕食後、すぐに船長はジョン・マンを連れて近所に住んでいるエイキンの家を訪ねることにした。夕食後で外は暗くなりかけていたがエイキン夫妻は、二人を温かく迎えてくれた。船長もエイキンに航海中の出来事や日本人の救助などボニーたちに話したことを同じように繰り返しているようだったが、エイキンは古い友達だけあってその話を誰よりも楽しんでいるようだった。雑談が少し落ち着くと、船長はジョン・マンのことについて、「もし奥さんも承諾してくれるならニューヨークから帰るまでの数週間の間だと思うが、ジョン・マンと寝食を共にしてそちらの家に預かってもらえないか」と頼んだ。そして、「ミリーおばさんにお願いするのは、今までも一人暮らしでいるのに突然、馴染みの薄い若者を世話してくれとお願いするのは習慣に反している」とも言った。すると、エイキン夫妻は、状況をよく理解し友人ホイットフィールドの頼みであれば、ジョン・マンの世話を引き受けると言ってくれたのである。船長は、持つべきはほんとうの友人だと思った。特にそれを引き受けたくれた夫人には、心から感謝した。

帰りも遅くなり家に戻ると、船長はジョン・マンを寝室の屋根裏部屋に案内し休ませ

ようとした。そして、これからの予定としてジョン・マンは、エイキン夫妻の家でしばらく世話になること、船長がニューヨークのジョージおじさんを訪ねること、船長が結婚した後ですぐにフェアヘーブンに戻ってくることを再度確認した。そして、ゆっくり体を休ませ眠るように言ってくれた。

ジョン・マンは、改めて船長の心遣いに感謝し、自分のことを我が子のように心配し扱ってくれていることに感謝した。そして、荷物の中にある母からもらった防寒着の「どんさ」を見た時、急に故郷の中ノ浜に住む母を思い出した。寂しい気持ちになり無性に母が恋しくなった。家族のことを想った。そして、母からの「どんさ」を抱きしめると涙が止まらなかった。部屋の窓から暗くなった港を見ながら、遠い所へ来たものだとしみじみと感じ、再び日本に帰れるかどうかもわからないのに何故かしら郷愁の思いが湧き上がってきた。「どんさ」を抱きながら色んな事が在り過ぎた今日のアメリカ1日目を思い返していた。かすかに聞こえる波の音を聞き、最初の夜はいつの間にか疲れた体とともに寝入っていた。

12　アメリカ留学生活

翌朝、ジョン・マンは、自分の荷物を船長と一緒にエイキン夫妻の家に運んだ。エイキンは、「何も心配しないで寛ぎなさい。わからないことがあればいろいろと聞いてね」と言ってくれた。その言葉を聞きながら船長の友であるエイキンの心遣いに思いやりを感じた。

その後、船長はジョン・マンを連れて、すぐ隣に住むミスジェーン・アレンの家を訪ねた。ジェーン・アレンは、公立小学校の女性教師である。それに、彼女は学校の教務を終えても、授業に追い付いてこれない遅れのある生徒たちを自分の家の一教室ほどの広さの地下室で補習授業をしていた。学校の授業でどうしても理解できずにつまづいている問題を復習しながら気づきをさせるのが目的で教えていたのである。生徒が問題を解こうと集中している間は、アレン先生は一言も言わず見守って集中させた。そして、

本人がその問題の答えが解った時、その子にひらめきと言うか気づきがあった瞬間を見逃さずほめる言葉を忘れなかった。子供たちは、気づきがあった時に学びの楽しさと満足感をその都度感じているようだった。その気づきに導く教え方を大事にするアレン先生は、教えのプロフェッショナルであった。

ホイットフィールド船長は、アレン先生に、ジョン・マンを公立小学校に入学できるように学力をつけてほしいと頼んだ。そして、小学校に入学できる資格が得られるよう依頼したのだ。しばらく、二人は相談をしていたが、アーレン先生は、放課後の地下教室での授業に初めて日本人の16歳の少年に英語と算数を教えることを引き受けてくれた。

それで、翌日の午後からジョン・マンは、アレン先生が学校での授業が終わって家に戻る頃になると、彼女の家の門の前で待つことになっていた。そして、小学生の年下の生徒たちと一緒に地下室の教室で机を並べて英語の勉強に励んだ。また、アレン先生の姉のチャリティと妹のアメリアも仲良くしてくれて、ジョン・マンの洋服の繕いなど手伝ってくれたこともあり親切にしてもらっていた。まるで、兄弟のようにしてくれる3姉妹の優しさもあってアメリカの生活に　慣れるのにそう長い時間は掛からなかった。

普段の生活で使う英語も上達し、そこでは日本語を使う環境もなかったので、いつの間にか英語で聞き、英語で考え、英語で話すのが当然のようになっていた。気付かぬうちに、聞いた英語を日本語に訳することなく理解し英語づけの生活だった。むしろ、日本語にない生活スタイルの中で、見るもの聞くものが英語で理解したため、日本語に変換する必要もなく英語で理解していくしかなかったというのが現実だったのだろう。

ジョン・マンが初歩教育を受けている時もホイットフィールド船長は、友人や仕事関係者と会って忙しくしていた。しかし、少しでも時間があると、地下室の教室をのぞき込み授業の様子を見に来てくれた。ジョン・マンの授業は順調のようで学ぶことに興味をもって集中し、理解力もあるように見えたので船長は、安心してこの調子で頑張ってもらうことにした。そして、その間に自分の仕事も落ち着いてきたので、ブリッジウオーターにケイスを訪ねて、そのままケイスと一緒にニューヨークへの旅に出発した。

船長の伯父であるジョージ・ホイットフィールドは、ニューヨークのシピオに住んでいた。今度乗船予定の捕鯨船のオーナーの一人でもあったのでジョン・ハウランド号での航海の報告と次の捕鯨航海の打ち合わせのために会っていた。その後、ニューヨークのブルックリン教会で、ケイスと結婚式をあげるためにいろいろと叔父は手伝ってくれ

た。そして、無事に結婚式を挙げると、二人は、しばらくニューヨークに滞在してハネムーンを楽しんでからフェアヘーブンに戻ることになっていた。

その頃、フェアヘーブンとニューベッドフォードの街では、ジョン・ハウランド号が日本人漁師を人道的に救助したことが市民の間で話題となっていた。ジョン・マンは、

エイキン家(上)と隣家のアレン姉妹の家

その事よりも初めて教育を受ける経験の中で少しづつ、学ぶ楽しさを感じ始めていた。授業を始めて1週間後に、ジョン・マンの成績が特に優秀であることを家庭教師のアレン先生が認め、「公立小学校に入学できる資格としての能力は十分あるだろう」と太鼓判を押してくれた。そして、すぐにオックスフォード小学校である通称ストーンスクールへの入学申請をした。その申請についは、審査した学校の役員及び職員も学力的に問題はないという判断をしてくれて、結果的に公立小学校への入学が認められた。ジョン・マンは、入学すると、白い壁の

ジョン・マンが学んだストーンスクール

石造りの平屋のストーンスクールの教室で年下の小学生と一緒に学ぶことになった。早速、英語の勉強で読み方、書き方そして算数の授業が日常的に行われ、その環境にジョン・マンは何の問題もなくスムーズに順応していた。

ジョン・マンは、正式にストーンスクールで初めてアルファベットを学び、アメリカの公立学校で学んだ初の日本人留学生となったのである。英語の基礎から学び始めて、

単語の数も増えて語彙力《ごいりょく》が付いてくるとどんどん世界が広がっていくのを感じ始めていた。英語の世界は、さらに広がり航海術の基礎にある算数にも興味を持ってきた。算数を学ぶことによって、船に乗りながら陸地との距離を測ったり、外洋に出て星を観察しながら船の位置を確認し遠くへ航海しても、再び出発した場所に戻れる方法は、数字が関係することも分かってきた。学べば学ぶほどに謎に気付き、それをさらに解ろうとする探求心が働き、学ぶことへの好奇心が生まれてきた。そして、それが面白いことに気づいてきた。英語という言葉を理解し、さらに飽きることのない多くの知識への欲求がジョン・マンの内で育まれていた。その向学心が手伝って学校での成績もクラスでトップを維持していた。ストーンスクールの教室の真ん中に暖炉があって、寒い日は、それを囲むように暖を取りながら授業は行われた。温かくなると外のグラウンドで年下のクラスメートとゲームで遊ぶこともあった。

そのような充実したある日の放課後、エイキン夫妻の家にホイットフィールド船長が帰宅したという連絡が入った。しかも、帰ってきたのはホイットフィールド船長ひとりだけではなかった。アルバティナ・ケイスという美しい花嫁さんと一緒に帰ってきたのだ。二人は1843年5月31日にニューヨークで結婚したばかりだった。そして、

フェアヘーブンの郊外のスコンティカットネック半島の中部に新居を構え、14エーカー（1万7千坪）の農場を千ドルで買って農場主になったのだ。その頃、一般的に捕鯨船の船長は、一航海を終えるとしばらくは農場でのんびり暮らすのが慣わしだったようだ。

ジョン・マンは、奥さんのケイスを一目見たとき、優しい穏やかな女性だと思った。お互い自己紹介をして、最後に「よろしくお願いします」と声をかけた。そして、船長が農場を買ったことを初めてジョン・マンに話をして、そこで新しい生活をすることの報告をした。「もちろん、ジョン・マンも家族の一員として一緒に暮らすんだ、それでいいよな」と念を押された。ジョン・マンは、うれしくて「はい」と同意の返事をすると夫妻も「その言葉を待っていた」と言ってともに喜んでくれた。船長にとっても全てが順調でケイスとジョン・マンもすぐに親しくなりみんな幸せだった。

船長は、エイキンにニューヨークでの結婚式やそれ以外について起こった事を語った。そして、2週間余りもジョン・マンを預かってもらった礼を言って、荷物をまとめて引き上げることにした。そして、すぐ隣のミリー叔母の住んでいる家に向かった。そこで、ジョン・マンを学校の学期が終わる6月末までミリー叔母に預かってもらえるよ

う お願いをした。このストーンスクール学校からスコンティカットネック農場までの距離が約5キロもあり通学するには遠かったからだ。

ミリー叔母は、快くジョン・マンを学期末まで引き受けることに同意してくれた。おかげで学期末まで引き続きストーンスクールで勉強ができることがジョン・マンにとって何よりもうれしかった。そして、時々ボニーの娘のアンが友達と一緒にミリー叔母の家に遊びに来た。ボール紙に雄鶏を刺しゅうしたものをプレゼントしたりして楽しくおしゃべりすることもあった。それは、ジョン・マンにとって、とても楽しい時間だったようだ。同年齢の異性の友達との恋心が芽生えてもおかしくない青春のひと時を謳歌していた。

ジョン・マンは、月曜日から金曜日まではストーンスクール学校で勉強し、週末になると船長のいるスコンティカットネックに出かけて農場の仕事を手伝った。農場では、馬や牛の家畜を飼い、トウモロコシなど穀物や野菜などを作っていた。

やがて、ストーンスクールでの授業も終わり長い夏休みとなる日が来た。そして、学校用具をまとめてミリー叔母に別れの挨拶をしてこれまで親切にしてもらったことに心から礼を言った。ジョン・マンは、丁寧にお辞儀をするとミリーおばさんは、ジョン・

マンの手を強く握って軽くハグをしてくれた。そして船長は、妻のケイスの手を取り馬車に乗せるとジョン・マンもその馬車に飛び乗ってスコンティカットネックの新しい家に向かった。

13　農場での生活

夏休みの間、ジョン・マンは、農場の仕事も一所懸命に手伝った。時々、故郷の中ノ浜に住む母に会いたいと思う時もあったが、ジョン・マンは、船長から与えられた一つ一つの仕事を責任をもってこなし、毎日心地よい汗をかきながら働くことがとても楽しかった。生まれて初めて馬に乗ったのもこの時だった。農場の仕事が一段落すると自由時間が与えられ、その時は、よく釣竿をもって農場の近くにあるリトルベイと呼ばれる湾内で釣りを楽しんだ。そして、スコンティカットネックは何と美しいところだろうとしみじみと思うようになっていた。因みにこのスコンティカットという言葉は、インディアン語で「最初に光があたった所」という意味である。ジョン・マンにとってこの時期こそホイットフィールド船長の家族とともに過ごした最も幸せな「最初に光があたった所」でもあっただろう。

夏休みも終わりに近づいたころ、穀物の収穫の時季となりトウモロコシの茎が枯れ始めてきた。畑を取り囲む林の木々たちの葉も紅葉し秋の季節へと変わりかけた。それは、また新しい学期が始まるという意味でもある。すると、ジョン・マンは、農場を離れなければならない時期が来た事を察した。なぜなら、ストーンスクールは、農場から5キロ以上あり毎日通学するには、距離が遠かったからである。

ところが、そのことをホイットフィールド船長もすでに察しており、対策を先んじて練っていた。まず、船長は、ジョン・マンを地元のスコンティカットネックの公立学校へ通わすことができないか学校の校長や役員とも相談していた。その学校は、農場の西側の大通り沿いに隣接して、距離的には500メートルも無いくらいとても近かった。幸いに、転校の話は何の問題もなく船長の思うように実現した。ジョン・マンは、農場を離れる必要もなく、そこから学校に通えて、そして船長たちと一緒に引き続き農場で暮らせることが何よりもうれしかった。これも、船長の人徳がなせる業だと思い誇りに思った。

学校に通い始めるとこの地域でも、ジョン・マンはよく知られるようになった。ジョン・マンは、学友たちからも評判はよく、礼儀正しく、好感が持てて思いやりのある

人、授業中は真面目で他の生徒の模範であった。

半年が過ぎ、日々寒かった冬から春の季節がすぐ近くに来ていた。学校生活にも馴染むとジョン・マンは、十分に異性に興味を持つ年頃になっており、学校でキャサリン・テリーという女生徒と親しくなっていた。お互いに目と目があうと何でもないのに微笑みあう間柄から、徐々にジョン・マンの方から積極的に彼女に近づいていった。フェアヘーブンでは、春になると、バターカップというすみれに似た黄色い花が咲くが、男の子に好きな女の子ができると、この花を摘んで無記名の詩と一緒に小さな駕籠に入れて、女の子の家の玄関にかけておくという習慣があった。5月1日の5月祭りの日に、ジョン・マンもその花をたくさん摘んで、自作の詩とともにキャサリンの家の玄関に掛けた。そして、彼女が見てくれるかどうか屋敷の外からそっと伺っていたという。ジョン・マンの書いた詩は、「とても寒い夜の事／君へのバスケットをつりさげた／目を覚まして、明かりをつけて！／逃げていく僕を見つけておくれ／でも、僕の後は追わないで」というプラトニックな恋の詩で恋心が伝わってくる微笑ましいものであった。

しかし、このような楽しい事ばかりではなかった。ある日曜日の朝、船長に連れられて家族で教会に行った時に嫌な思いを経験することになる。毎週日曜日にお祈りをする

ため教会に行くのだが、信者は教会の座席を予約するため年間にわずかの使用料金を払うことになっている。船長も例外なく家族用の長いすを確保していた。ある日曜日の事、船長は、当然にジョン・マンも家族の一員としてその椅子に座って教会のサービスを受けた。ところが、教会の役員の代表者が船長に近寄りささやいた。「ジョン・マンがこの教会に来ることはいいのですが、座る席が船長たちと一緒の席だとほかの白人の信者の皆さんが気になってお祈りに集中できないようです。日本人の少年は、黒人の席の方に座るべきだと考えます」と忠告した。船長は、それを冷静に聞きながらも感情を押さえて、代表者の言った言葉は、明らかに人種差別を意味するものであると察した。そして、船長は、奥さんのケイスとジョン・マンに声掛けしてその場を離れ家に帰った。そして、すぐにお金の準備をしてフェアヘーブンの役所の近くにある別の教会に出かけた。そこは、ユニテリアン教会と呼ばれ、新しいそこの信者となることで家族専用席の権利を買い求めたのである。

ヨーロッパから宗教的新天地を求めてアメリカに渡ってきた多くのプロテスタントのクリスチャンにとって、長きに渡り通った教会の教えをその宗派の教義と言うが、これまでの教義を捨てて別の教義の宗派に代えるようなことはよっぽどのことがない限り代

えることはない。この場合、船長が、別の宗派の教会に通うという行動はよっぽどの決断を伴っていた。以前の教会の牧師がジョン・マンを家族の一員として認めてくれなかったことへの反発、人種差別の考え方を絶対に許さない船長の強い意志がこの決断となったのだろう。ユニテリアン教会の教義は、人類愛や隣人愛を主張し、自由と理性と寛容を重んじる教義だったので肌の色の違いで差別することはなくジョン・マンを快く受け入れたのだ。その後、以前通っていた教会の代表者が船長のところに何回か訪ねて来て、元の教会へ戻ることを働きかけ説得するのだが、船長は断固として拒否し続けたそうである。船長にとって、ジョン・マンは当然に家族の一員だったのだ。その後も、ジョン・マンの船長への信頼感は増して、お互いの絆もより強くなっていた。

船長は、ジョン・マンの学校での成績が注目に値するほど学力が付いてきていること、特に数学が卓越していることに気付き、航海術コースに進ませることを考えた。そこで、古い友人のルイス・バートレットを訪ねて相談することにした。バートレットは、海事専門学校のフェアヘーブン学園の学長であった。幸いなことに１８４２年10月３日に、バートレットは、数学、航海術、測量学の高等教育機関としての「ルイス・バートレット学校」を創設したばかりだった。

校舎の建物は、1835年にすでに建築していた建物の中に教室を設けた。ニューベッドフォードとフェアヘーブンの船船所有者や船長たちの仲間内で学校を設立し、特に数学の充実拡大を理念に掲げていた。生徒も船主や船長の息子たちが優先的に入学できる学校だったのである。だから、最初にホイットフィールド船長から申し出があったときにバートレットは、ジョン・マンの入学を断った。しかし、船長は、ジョン・マンが自分の息子同様であること、最後には養子にするという事まで言って強く主張し辛抱強く説得した。その甲斐があって、結果的にバートレット学長はついにジョン・マンを、入学させる選択肢しかないと考えるようになり1844年2月から正式な生徒として受け入れたのである。

ジョン・マンは、本当に幸せな男だった。そして、こんなにまで自分を信頼してくれる船長を絶対に失望させないようその期待に応えるべく、一生懸命にがんばることを心に誓った。バートレット校は、フェアヘーブンにあるため、再びミリー叔母の住む家から通うことになった。

最初は、ジョン・マンの入学を断りもしたバートレット学長ではあったが、その日本人少年の素晴らしい能力に気付くのにそう時間はかからなかった。航海術コースのクラ

スでジョン・マンの成績は余りにも優秀だった。いつしか学長もこの学校で学んだ航海術を身に着けて、いずれ日本に戻ってそれを生かして活躍することを期待するようになってきた。

ジョン・マンは、かつて捕鯨船員たちと船で仕事をするために英語という道具を使ってコミュニケーション能力を高めていた。今は学校で航海術を学ぶために英語という道具を更に上手に使って未知の数学の世界を冒険していた。そのころは、ジョン・マンにとって学ぶことが何と楽しいかを経験する毎日であった。

1844年6月末、ルイス・バートレット学校が長期の夏休みに入ることになっ

ジョン・マンが航海術を学んだ「ルイス・バートレット学校」建物は今も残る

た。ジョン・マンは、メリー叔母の家から再びスコンティカットネックの農場に戻り、やるべき毎日の仕事が終わるとやはり家から近いリトルベイ沿いで魚釣りを楽しんだ。そこは幅の広い砂浜ではないが、白い砂を掘るとハマグリがいくらでも取れるところでもある。地元の人たちは、そのハマグリを焼いてクラムパーティーを楽しんだ。

7月20日になると、待望の赤ちゃんがホイットフィールド夫妻の間に生まれた。ウィリアム・ヘンリー・ホイットフィールド・ジュニアと名付けられた男の子でみんなで可愛がった。新たに家族が一人増えたのである。ホイットフィールド船長がお父さんに、ケイス夫人がお母さんにそして可愛いヘンリー坊やが息子として生まれた。ジョン・マンは、アメリカの典型的なアットホームな雰囲気の家庭の中を見せてもらっていた。恋心を持つようになった時期のジョン・マンにいずれこのような家庭を築くことがあるのか、ほのかな憧れとそのような夢を見てもおかしくなかった。

農場での生活も落ち着いてきたところだったが、船長は次の捕鯨漁の準備を進めていた。ニューベッドフォードの「ヘンリー・テイバー社」所有の321トンクラスの捕鯨船「ウィリアム&エリザ号」の船長としての航海を考えていた。その航海の目的地は、日本近海の漁場だった。半年前からその航海に向けての準備をしていたらしい。今回の

航海は、ジョン・ハウランド号の時とは違って、妻と息子、それにジョン・マンを家に残しての航海になる。

船長は、ジョン・マンに将来、捕鯨員として一人前に認められるためには、学校で学ぶ航海術の勉強だけでは十分ではないと思っていた。そこで、学問以外にも身につける技術として、鯨油を入れる樽づくりを考えていた。鯨油樽の修理は、水夫として捕鯨中にも必要とする仕事であった。そこで、船長はウィリアム・ハッセーという樽を専門に作っている会社の社長を紹介することにしたのだ。その会社は、ニューベッドフォードの捕鯨船が使う樽の殆んどをつくっているところで、フェアヘーブンのアクシュネット川沿いに工場がある。ジョン・マンは、船長のアドバイスを受け入れ鯨油樽工場で働く約束をした。そして、船長は、農場や家族の事、ジョン・マンの身の回りのことを整理すると１８４４年10月６日、しばらくの留守を妻のケイスとジョン・マンに託して、ウィリアム＆エリザ号で捕鯨の航海に出た。

14　鯨油の樽づくり

ジョン・マンは、1845年2月から見習工として樽工場で働き、樽づくりの技術を身に着けることになった。スコンティカットネックの農場から樽づくりの工場まで徒歩で通うには、相当の距離があったため工場に住み込みで働くことになった。幸いに、彼以外に2人の若者が同じように住み込みしながら見習工をしていた。ところが、労働条件が悪く、長時間労働と食事もお粗末で栄養バランスの偏った食材が当てがわれていた。昼晩とも食事は、固くなったパンだけが毎日続き、低栄養価の食事を食べさせられていた。2人の見習工も食事については、日頃から不平不満を漏らしていた。そのこともあって2人の見習工は夜中に逃げ出して二度と戻ってくることは無かった。しかし、ジョン・マンは、船長との約束もあって、いずれこの技術を身に着けてりっぱな樽づくり職人として認められなければならないと思っていた。そのことをよく理解していたの

で、我慢して頑張るだけだと覚悟していたのだ。しかし、やはり働く環境としては厳しく、体に力が入らず徐々に怠くなりついには病気になってしまった。そして、仕方なく農場に戻り、ケイス夫人の世話になりながら、栄養のある食事をしっかり取り休養することになった。

徐々にケイス夫人の懸命な看病のおかげで体力は回復し、健康を取り戻してきた。海岸近くを気晴らしに散歩していると凍っていた氷も解け始めてやがて春が来ようとしていた。農場の畑の土も柔らかくなりスキを入れ、畑仕事もあれこれと忙しくなろうとしていた。ジョン・マンは、ケイス夫人の看病のお蔭で回復し、その恩に応えるためにも一生懸命に畑仕事を手伝った。ヘンリー坊やも日々成長し、一緒に遊んでやる時間も作り子守をした。そして、時には、バートレット学校のテキスト本を開き復習をしたり何度も読み返していた。その頃からは、アメリカの生活にも慣れて、フェアヘーブンの住民として溶け込んでいたようだ。

夏が過ぎ、秋の季節が来た。ジョン・マンは、乗り気ではなかったが再びハッセー樽工場に戻った。そして、ここでの見習いが終わるとバートレット校に戻ってまた航海術の勉強ができることを思いながら頑張る決意をした。しかし、やはり労働条件の厳しさ

から体調を崩して病気となり、再び農場に戻り治療に専念した。ケイス夫人の献身的な栄養のある食事もあって再び回復してきた。体調も良くなるとバートレット校に戻り学業に励んだ。その学業も終わると、3度目の挑戦でハッセー工場で働くことにした。そして、念願の見習工としての期間を無事に終わり正式な樽づくりの技術を持った職人として認められるようになった。船長との約束を守ったこともうれしかったが新しい技術を身に着けたことも自信となって一皮むけた青年になっていた。

海事学校のバートレット校でジョン・マンが最も興味をもって読んだ本が、ナサニエル・ボーディッチの書いた『実用航海術書』で、どの本よりもこの本を大事にした。ただ、この時のジョン・マンは、この航海書に書かれた専門用語は日本語にないので全て英語で理解していたようだ。ちなみに、帰国の際、琉球に上陸した時にこの実用書も一緒に持ち帰っている。

学問としても航海術をしっかり理解し、それ以外にも捕鯨員として鯨油を入れる樽の作り方も身に着けていたので、ジョン・マンは、捕鯨員として何一つ不足の無い立派な海の男になっていた。

樽工場の見習工を終えて、しばらくスコンチカットネックの農場に戻り、アメリカン

スタイルの生活を満喫した。時々、フェアヘーブンの海辺を散歩しながら、ボーディッチの航海術書を読んだり、きれいな景色があるとそこで立ち止まりスケッチをして楽しんだ。お気に入りの場所は、フェアヘーブンのフォートストリートを東に向かうと大西洋が見える「フォートフェニックス砦跡」の海岸に辿り着く。そこからは、左側にニューベッドフォードの町並みと港が見え、右手方向にフェアヘーブンの岸辺が一望できる。その両方の街の間を海に流れ出るアクシュネット川がある。ジョン・マンが特に好きなアングルは、フェアヘーブンの緑の街路樹の中にひときわ目立つ天に伸びる尖塔のユニテリアン教会を真ん中に見て、手前には、川辺ギリギリまで接した緑の芝生の庭と白い家がある。スケッチをしたくなる景色で1日中そこに居ても飽きることは無かった。それに、フェニックス砦跡は、ニューベッドフォード港に捕鯨船が出入りする湾口でもあり、捕鯨船が入港したり出航する光景も見れた。

ジョン・マンは、時折、ニューベッドフォード港に出かけて捕鯨員の様子を見に行くことがあった。長い航海から帰ってきたばかりの大きな捕鯨船を見ると興味をもって彼らに近づいていった。そして、ホノルルからのニュースがあれば敏感になり、伝蔵や五右衛門、寅衛門、重助たちのことが気になった。或いは、日本の近海に行った捕鯨船が

あれば彼らから日本の情報が欲しかった。心の中にはいつも故郷の母のこと、ハワイにいる仲間のことが一日に何度となく思い出されて、居ても立っても居られなかったのだ。

ここフェアヘーブンでの生活も3年が過ぎようとしていたし、ジョン・ハウランド号に救助されて5年が経ち、ジョン・マンも19歳の大人になろうとしていた。遭難後、母は、さぞかし自分のことを1日たりとも忘れることなく心配をしているだろうと思った。そう思うとすまないという気持ちが増して、早く母に会って安心させたいという思いは日々募るばかりであった。

1846年の早春、ジョン・マンは、思い切ってニューベッドフォードのビジネス街にあるJ&Jハウランド会社を訪ねた。その会社は、鳥島で救助してくれたジョン・ハウランド号の船主会社である。そして、理事の一人であるジョン・ハウランドに会って、「近いうちに日本近海に行く捕鯨船があれば捕鯨員として乗船したい、そして、日本で降ろしてもらいたい」と率直に自分の考えを話した。すると、ハウランド理事は、「今のところ、そのような捕鯨船は、わが社では予定していないが、もし他社にそのような捕鯨船があればあなたのことを紹介してあげる」と約束してくれた。ジョン・マン

は、日本漁場への捕鯨船の予定が一隻もないことに失望したが、捕鯨船を探してくれるという言葉には励まされた気がして期待することにした。そして、再び農場に戻り、畑仕事などで忙しく働いた。

季節も農場の草々のつぼみが膨らみ花が咲き、木々の新芽が鮮やかな緑となり本格的な春になろうとしていた。そのようなさわやかな暖かい日で、家の近くで畑仕事をしている時だった。そこに、一頭の馬に引かれた馬車が家の前に止まった。ケイス夫人が玄関のドアを開けて挨拶を交わし応対していた。ケイス夫人は、彼を家の中に案内しようとしたが、その男は、「ジョン・マンに用事があるので彼に会いたい」と言った。そこで、家の近くで仕事をしていたジョン・マンは、夫人に声を掛けられると自分に客が来ていることを知った。そして、家に戻るとその男に自分から名前を言って握手を交わした。その男は、ニューベッドフォードからきたアイラ・ディビスと自己紹介をした。以前にホイットフィールド船長と、捕鯨船で一緒に航海をしたこともある捕鯨員で、その時は銛打ちをしていた事も話した。ケイス夫人は、二人を家の中で話をするよう促しコーヒーを準備してくれた。そして、夫人は、2人に気を使ってその場を離れた。

ディビスは、すぐ本題に入り「私はあなたのことをニューベッドフォードのジョー

ジ・ペイン社長から聞きました。あなたが数年前に捕鯨船に救助されたこと、そして航海術など学び、今は、生まれた故郷である日本に帰りたがっていると聞いています。実は、私は日本近海へ一緒に行く捕鯨員を探しています」と一気に結論まで話した。ディビスは、最近、273トン級捕鯨船の船長に任命されたばかりだった。そして、ジョン・マンを正式に船員として採用したい、そして、この場で契約書にサインまでしてほしいと頼みこんできた。ジョン・マンは、心が弾んだ。これで、日本に帰ることができるかもしれないと夢が現実になる時が来たと思った。

しかし、ジョン・マンは、今は船長が捕鯨の航海中のため、留守を預かりながら、夫人と一緒に農場の仕事を手伝うことを約束していることを思い出した。この場合どうしたらいいのか迷って決心がつきかねて悩む自分がいた。それでも、ディビスは、強く申し出してきたのでその依頼を受け入れたい気持ちが大きかったがジョン・マンは、決心できなかった。それを近くにいた夫人が察して、「もう少し考える時間が必要だと思うので1日間だけ相談をする時間をください」とジョン・マンに代わって言ってくれた。そして、ディビスも少し考えて、翌日には返事がもらえることを約束して聞き入れてくれたのである。

その日の夜、夫人は、ジョン・マンと夕食後に時間を取ってくれて話し合うことにした。そして、夫人が開口一番「もし夫のホイットフィールドがこの時に農場にいたとしても迷いなくディビスの申し出を受け入れると思う」と話してくれた。さらに「確かに農場の畑仕事の手助けについては、大変助かっているし感謝している。でも、あなたが本気にディビスの申し出を受けたいと思っているならそうして欲しい。私のことや赤ん坊のヘンリーのこと、この農場のことも全然心配しないでいいのよ。大丈夫だよ」とも言ってくれた。そして、ジョン・マンは、確かにいつも自分の心の中に日本に帰国したがっている自分がいることを思い出し、ここは、夫人の言葉を信じ、甘えることにした。その後、夫人に自分の心の内を正直に話したので我が想いを理解してもらえたと思った。夫人は、ジョン・マンの思いを全て理解してくれた。ジョン・マンは、嬉しさのあまり涙を流し心から喜んだ。

翌朝、ジョン・マンは、早速、馬車に飛び乗ってニューベッドフォードに向けて馬を走らせた。港のパケット桟橋にディビス船長が乗るフランクリン号が横付けされていた。やがて、甲板の方に船長が現れてジョン・マンに上ってくるように手招きをしている。馬車を降りて、甲板まで一気に登り船長に一言「一緒に航海に行くと決心しまし

た。よろしくお願いします」それと「日本近海に近づいたらチャンスがあれば私を降ろしてください」と条件付きの捕鯨員になることも確認の意味で付け加えた。ディビス船長も全てを聞いたうえで承諾してくれ、可能な限り協力することを約束してくれた。二人は力強く握手を交わした。

ジョン・マンは、踵を返して急ぎスコンティカットネックの農場に戻った。そして、そのことをすぐにケイス夫人に報告した。フランクリン号への船員の集合日が5月6日だったため約1か月余り時間があった。そこでジョン・マンは、農場での畑仕事を終えるとこれまで世話になった隣近所の友人、知人に会って捕鯨船に乗ることを報告した。そして、これまでの礼を言いながらしばしの別れの挨拶をして回った。特に、船長の友人であるエイキン夫妻、英語と算数を教えてくれたアレン先生と姉妹たち、ボニー家のアンとその他多くの友人たちにも報告した。また、航海術や高等数学、測量術を教えてくれたルイス・バートレット校長に報告することを忘れなかった。

第4章　捕鯨航海

15　フランクリン号で捕鯨航海

いよいよ、フランクリン号の出発の日がきた。ジョン・マンは、母親代わりに世話をしてくれたケイス夫人を泣きながら強く抱きしめ心から感謝の意を述べた。船長がいない時にケイス夫人の物心両面の支援と存在は大きかった。ジョン・マンは、弟のようにかわいいヘンリー坊やを抱っこしてしばらくは会えないことが悲しかった。そして、自分の身の回りの道具をまとめると家のドアを開けて道に出た。何度も後ろを振り返りながらケイス夫人に手を振っているジョン・マン、3年間は会えないだろうと覚悟した。

その日の午後、ニューベッドフォードの港に近いウエスト&ペイン会社の事務所で乗船前の手続きとして、船員の乗船中に守るべき規則や契約書に目を通した。ジョン・マンは、フランクリン号での役職が「給仕係」で、その給料は、1／140（0.007%）ということだった。出来高払いで航海中に得た全収益の1／140がジョ

ン・マンの取り分の給料となる。保証人がジョージ・ペインになっていた。全ての書類に目を通して最終的に契約書にサインをした。この契約は、合法的で拘束力のある正式な契約書である。ジョージ・ペインとディビス船長は、ジョン・マンを心から歓迎していた。そして、船長は、ジョン・マンに第3航海士のヘンリー・チャイスを上司に付けて航海中の報告等の義務や彼の指示に従うことも含めて説明した。ヘンリー・チャイスは、新米の給仕であるジョン・マンに、「船上での仕事は料理長のジョン・ウィンストンの指揮のもとで執り行われる」と言って、船上での指揮系統について説明してくれた。そして、この船は、予定からすると5月16日に出港できるだろうと告げた。

捕鯨船が新しい生活の場となると考えたとき、ジョン・マンの脳裏にホイットフィールド船長とともにジョン・ハウランド号に乗って航海したことが思い出された。少々の不安もあったが未知への新たな期待が込み上げてきた。しかし、今回は、ホイットフィールド船長の直接の同意も助言もなく農場を離れる決心をしたことが正しい判断だったのか気にはなっていた。しかし、もう行動に移されているのでそのことは、考えないようにして前に進むしかないと思いなおした。

1846年5月16日の早朝、ついに、フランクリン号は、クジラの漁場を目指して予

定通りにパケット桟橋のバースをゆっくり離れながらニューベッドフォード港を出航した。ジョン・マンは、徐々に小さくなって見える慣れ親しんだ港の光景を静かに見つめていた。新しい旅立ちである。バートレット学校で学んだひとつひとつをこの航海で実践しながら、どこまでそれが生かされるのか確かめるチャンスでもあり楽しみだった。やがて、沖合に出ると船先から船尾まで52メートルもあるフランクリン号が、風と潮の流れを使って日本近海へ向かっていると思うだけで、ジョン・マンの脳裏に日本に住む母の姿があった。

　フランクリン号は、ニューベッドフォードを北の方向に舵を取り、最初に停泊したのがマサチューセッツ州の州都ボストンの大きな港であった。その頃のボストンは、アイルランドのジャガイモ飢饉で多くのアイルランド人がアメリカ大陸に移民者として渡ってきた時期である。ボストン市の人口と民族構成が劇的に変化し、やがて、ボストンに住むアイルランド人は一気に3万5千人に達しようとしていた。ボストンの港でジョン・マンを驚かしたのが、港への通路を防御している鉄製の手すりで頑丈に作られた砦であった。多くの大砲が砦の開いた窓から突き出ていた。独立戦争の時に使われたアダムズ砦である。ボストン港の入り口に作られた砦であったためイギリスが容易にボスト

ンを攻撃できなかったという砦でもある。ジョン・マンが見たその砦は、花崗岩を使いより強固な砦に改築中であった。それは、1851年に完成し名前もインディペンデンス砦と呼ばれる砦でもある。

ジョン・ハウランド号の場合は、ニューベッドフォードを出港して南に向かい、南米大陸の東海岸を南下しペルーの最南端のホーン岬を回り込み南太平洋に入った。しかし、フランクリン号は、大西洋を横断しアフリカ大陸西海岸を南下し喜望峰を回り込み、インド洋を通過し東南アジアから太平洋に入る航路をとったのだ。その理由として、その年の1846年5月に、アメリカ合衆国が国境紛争が原因でメキシコに侵略し、アメリカ・メキシコ戦争が勃発していたのだ。それで、メキシコ湾やカリフォルニア西海岸を通過するのは危険だという事で、大西洋をアフリカ大陸西海岸へと進み、インド洋を通り太平洋に入って日本近海を目指したのである。

フランクリン号は、そのように危険回避をしながらアメリカ大陸から東に4千キロ離れた大西洋上のポルトガル領アゾレス諸島を最初の目的地としていた。ボストンで短い滞在を楽しみ、いよいよフランクリン号は、羅針盤の針を東に向けて南西の風に乗って大西洋をアフリカ大陸方向に進みアゾレス諸島を目指し出航した。そして、アゾレス諸

島で生きた豚と薪水食糧を買った。豚は、新鮮な肉を食するため船の甲板で飼育しながら必要な時に船上で潰してたんぱく源とした。当時は、氷もないので新鮮な肉など長期保存ができなかったので豚を殺してあと残った肉は塩漬けにした。赤道から進路を東南に取り南アフリカの最南端の喜望峰を回り込みインド洋に入った。インド洋での航海中にウミガメを見つけた。新鮮なカメの肉を目当てに、本船からボートを降ろし銛で突こうとしたがベテランの銛打ちでも鯨よりも小さくすばしこいカメにはてこずり2度も失敗した。そこで、ジョン・マンがナイフを口にくわえて海に飛び込んだのである。そして、大きなウミガメの甲羅に乗っかり両脇をしっかりつかんだがウミガメは水中に逃げようと更に潜っていく。水中での格闘の末、ついにナイフでウミガメの喉を切り、水面に上がった時にはジョン・マンの肺も破裂寸前でやっと息をすることができた。それを見ていたボートの水夫たちもジョン・マンを先に引き上げ、次に獲物のウミガメを引き上げた。その時のジョン・マンの判断と勇敢な潜りを見てみんな大声で勇姿を称えた。その経験は、みんながその後のジョン・マンを尊敬する出来事となった。

そのような経験をしながらインド洋を航海し、ついに、1847年2月には、ジャワの海峡を抜けてティモール島にたどり着いた。ティモール島は、紫檀や黒檀を産出し、

いろいろな塗り物細工が評判で「諸国の人の来り集まる処」として白人、黒人、黄色人が住んでいた。島の海岸に行くと日本人らしき人たちが数人いたので、ジョン・マンは彼らを日本人だと思った。同じ黒い直毛の髪、肌色、顔も日本人に似ていたので彼らに近づいて声をかけたが、言葉が一切通じなかった。中国人だと分かりがっかりした。その後も、船で島から島へ渡りいろんな不思議な人種に会った。ある人たちは、何も着けず裸で生活しているし、かと思えば、体だけでなく顔も刺青を入れた人たちもいた。原住民の中には、待ち伏せして人間も食べるという悪習の人食い人種もいるという事で恐怖感を覚えてきた。ジョン・マンは、そのようにいろんな人種や習慣の違いを持つ人たちがこの地球上にいることをあらためて理解した。フランクリン号は、そのような小さな島で薪水食糧を買い整えて、赤道上の南から更に東に進みソロモン諸島近海でクジラを追った。

ジョン・マンは、その頃、20歳となり毎日の捕鯨船での経験が彼を日々成長させていた。捕鯨船には、白人だけではなく、いろんな人種がいて、船長をリーダーとしてしっかりした役割分担の中で協力し合う一つの社会がこの船の中で成り立っていた。水夫と水夫のお互いの距離が近いその船社会で語学を学び、コミュニケーション能力も備わ

り、捕鯨員たちといろんな話題についてジョン・マンは、流暢に英語で話し仲間に溶け込んでいた。精神的にも肉体的にも強くなってきた。青年期特有の何事にも挑戦しようとする精神と知識と知恵も備わってきた。創造的な思考力、自分からやろうとする主体性も備わっている青年に成長していた。そして、何よりもジョン・マンは、この時間を楽しんでいるかのようだった。

フェアヘーブンのバートレット学校で基礎的学問を学ぶ機会を得て、いよいよフランクリン号での本格的な体験は、これからのジョン・マンの資質と能力が試されるチャンスであった。それは、バートレット学校で学んだ学科をフランクリン号が実習船となりその実力が試される航海だったのだ。

16　マンピゴミレ島

ソロモン諸島で捕鯨漁をしながら、フランクリン号はそろそろ日本漁場でのマッコウクジラの捕鯨季節に備えるため北西方向に進路を取り、ジャワ島の東に位置するティモールのクパンに到着した。島民の肌の色は黒く、毛髪は長くて縮れて体格は大きい。その島にしばらく停泊して、その後ニューアイルランド島に到着、島人は、かつて漂流者を待ち構えて捕えては食べるという悪習があったという島である。そのためか、顔つきは獰猛で肌の色は褐色、頭髪は短く、男女ともにほとんどが刺青をしていた。そこでは碇泊せず、早々とフランクリン号は、食料と薪水を確保するためにマリアナ諸島のグアム島へ向かった。

1847年3月3日、グアム島のウマタ湾に到着すると、日本漁場への出漁準備として薪水食料を補給することにした。その後、グアム島の西側にあるアプラ港に船を移動

させてそこで停泊した。港内には、多くの捕鯨船の帆柱が林立していた。そして、本船を岸に横付けすると上陸許可を得てから船を降りることにした。グアム島は、太平洋上のいろんな漁場で捕鯨漁した水夫たちが集まっていた。捕鯨を終えて薪水食糧を買うために立ち寄った船もあれば、これから捕鯨に出発しようとする船で忙しくしていた。多くの船が集まっているということは、それぞれの漁場の情報も集まるところでもある。その賑わいは、鯨油を下すハワイのホノルル港にも似ている。グアム島も、捕鯨船の薪水食糧を供給する港として太平洋で重要な捕鯨船の集積地といっても過言ではないようだ。

ジョン・マンが、何をするでもなくぶらぶらとグアムの港を散歩している時にアブラム・ハオランド号のハーパー船長に声を掛けられた。船長は、ジョン・マンが捕鯨船員で日本人でもあることを知った上で、日本の鎖国政策をまず最初に非難してきた。そして、食料を補給するため琉球に立ち寄った時に、その島の役人から2樽の酒をもらい「2日の間に退去しないと船を破壊する」と脅しをかけられたという。そればかりでは無く、日本近海でアメリカ捕鯨船員が遭難した場合でもその船員たちを罪人扱いし牢獄に入れるなど非人間的な人種であると批判してきたのだ。ジョン・マンは、彼の話を聞

いてこの類のニュースは時々アメリカ本国にいる時にも聞いたことがあった。それは、1837年にアメリカ商船・モリソン号が浦賀に来航した時に日本の漂流民送還と日本との通商の可能性を打診したが、逆に外国船打払令により幕府と薩摩藩から砲撃されたモリソン号事件だと思われる。琉球近海においても未だに似たような事件が起こり、それを直接体験したハーパー船長からの話だっただけに、日本人として残念な話であった。ジョン・マンは、それが信ぴょう性のある話だっただけに真摯に聞き入った。そのような話は、ジョン・マンにとって耳が痛くて辛かった、そして、悲しくもあった。自分が鳥島で死を覚悟した時に命を救ってくれたのはアメリカの捕鯨船であった。しかし、日本では、異国の船員を助けるどころか、砲撃をする人たちが自分と同じ日本人であることに憤りを感じた。ジョン・マンは、それを嘆き、肩身の狭い思いをするようになった。そして、その経験は、「一人の日本人として、命の恩人であるアメリカの船長や捕鯨船員のためにどうにかできないのか」と考える切っ掛けになった。そして、「日本に行き、どうにかしてアメリカの大統領のような偉い人に直訴してこの状況を説明し、今の日本の考え方、やり方を変えてもらうように頼むのが自分のやるべき事かもしれない、それが私に課せられた宿命なのか」と使命感が自分の中に初めて生まれてきた

のがこの時期だった。ジョン・マンは、新しい使命感に気付き、この考えを最初に伝えたかった人は迷わず命の恩人であり、父のように自分が慕うホイットフィールド船長だった。そして、グアムで起こした行動として、ホイットフィールド船長宛にまずは手紙を書くことにした。船長は、その頃はきっとウイリアム&エリザ号に乗って、北太平洋のどこかでクジラを追いかけているだろうと思いながら、今の正直な自分の気持ちを書き綴った。

『1847年3月12日、グアム
ウィリアム・ホイットフィールド船長
ウィリアム&エリザ号
ニューベッドフォード　アメリカ合衆国
手紙を書くためペンを持っています。私は元気です。あなたも元気であることを願っています。最初に農場を離れた時の家の様子についてお知らせいたします。あなたの息子のウィリアムですが、夏の間はずっと元気に過ごし、寒い季節になると家の中で遊んでいました。本当に賢い子供だと思います。あなたの奥さんのケイス

夫人、叔母のアメリア夫人とボニー家、近所の人たちはみんな元気でしたよ。それから、鯨油樽づくりの見習工としてハッシー家に6か月間働いていましたが、とてもいい家族で親切ではあったのですが家庭的に貧しく、朝昼晩とも食事は、固くなったパンだけが毎日続きました。低栄養価の食事を食べ続けていると自分も含めて3人いた見習工が2人とも一度にやめてしまいました。私もその頃から体調を悪くしたので静養するために農場に戻り、奥さんに助けてもらい大変世話になりました。その後、アメリカとメキシコの間に戦争が起こるという話を聞いたとき、私はここで滞在するよりは、船に乗って航海をすることがよいだろうと心に決めました。そして、ジョン・ハウランド社を訪ねてお願いをし、やがてフランクリン号が日本近海での捕鯨漁に行くことがわかりました。そして、その船のディビス船長が、私を給仕係として採用し乗船することになりました。

農場では多くのリンゴやジャガイモ、牧草など収穫ができました。牛からは多くのおいしいミルクが搾れて、船長にも飲んでもらいたいと思った次第です。あなたの奥さんは、本当に尊敬すべき、優しい女性です。あなたには私のことを許していただきたく思っています。私は、あなたのことを忘れず思い、同様にあなたは、私

のことを忘れてないと思っています。偉大なる神に誓ってあなたはこの地上で私の最良の友人であると思っています。神のご加護が私のすべての友人にあることを願っております。あなたが故郷にお戻りの時に、私の知人友人によろしくお伝えください。

私たちは、ニューベッドフォードの港を出航して10か月と16日が経過して、これから北西に向かい日本の琉球に行きます。そして、願わくば無事にそこに上陸し、捕鯨船員が食料をいつでも貰えるように港を開けてもらうようお願いをするつもりです。私たちは、今月の3日にこのグアムの港に来ましたが多くの捕鯨船の船員と会いました。その中の一人ハーパー船長が琉球に上陸し、何か新鮮な食料を仕入れるため小型ボートを岸に向けて行ったそうです。島民は、二つの酒を捕鯨員に与え、そして、役人が「すぐにこの島を立ち去りなさい。2日以内にこの岸を去らなければ、アブラハム・ハウランド号を沈ますぞ」と言ったそうです。それでもハーパー船長は、これから日本海の漁場へ向かうそうです。その時、私も一緒にその船で日本へ行かないかと誘われたのですが、フランクリン号のディビス船長は、それは許さないだろうと思って断りました。

それからウォーレン・ウッドワードさんと会うことがあれば、よろしくお伝えください。奥様の方から手紙もいただきましたが、きっと農場や家のことなどあなたにはもっと詳しく話してくれると思います。』

とグアムから船長へ英文で手紙を書いた。その手紙の中で、唯一自分の使命として「アメリカの捕鯨員のために命を懸けて琉球に上陸し広く異国の人たちに港を開けて、薪水食料を補給させてくれるよう努力をする」ことを特に強調している。それが、命の恩人である船長や捕鯨員に対して恩を返す唯一のジョン・マンのできる使命であった。

1847年4月になって、ジョン・マンたちは、目的地の琉球に近づいてきたので『マンピゴミレ』という沖縄本島北部の小さな島の沖合3里に錨を下した。そして本船から捕鯨ボートを2隻降ろして船頭をはじめ12人の船員が乗り込んで、ボートを漕ぎながら浜辺に近づき上陸した。すると、島人がそれに気づき一人増え、2人増えて恐る恐る浜辺に集まってきた。少し時間が経ってから琉球の役人が来て浜辺にむしろを敷かせそこに座って応対し始めた。その様子を報告した書類には、「どこの国の人で、何の用事があってこの琉球国に来たのか?」と尋ねたら、捕鯨船の船員が地図を見せながら、

「私たちは、ここアメリカという国から来た」と指で示し手まねで説明した。しかし、言葉が通じている気配がない。すでに浜辺には大勢の島人が来ていた。さらに「捕鯨船員がジェスチャーで食料としての牛がほしいと求めたが、この島の人たちは、外国人が村の中に入ってきて何か悪いことをしたら困るからということで、午後2時ころになって役人が牛2頭を引かせてくるよう指示して、仕方なく生きた牛2匹を渡した。そうすると船頭から西洋花布、いわゆる木綿の反物を役人2人に返礼として置いていった。そして、早々に出帆するべしと手まねで命令したのでそこを去った」とその時の様子を島の役人は、首里王府に報告している。琉球では、この時期に集中してそのような異国船（捕鯨船）が伊是名島や久米島、石垣島、八重山、宮古島などにも上陸していたことがほぼ同じ内容で王府に報告されている。

さて、後年に編纂されたジョン・マンの漂流記である『漂巽紀略』がある。『漂巽紀略』は、ジョン・マンが帰国後、土佐藩主の命令により絵師の河田小龍が描いた漂流記として書かれた本である。その『漂巽紀略』の地図に「マンピゴミレ」という地名がカタカナで書かれているが、「マンピゴミレ」の島の名前は現在の沖縄地図では存在しない。

その謎は、ジョン・マンたちがマンピゴミレに来島する31年前の1816年、英国海軍ライラ号のバジル・ホール艦長が琉球上陸し測量したことにありそうだ。その年の9月16日から40日余りをかけて、バジル・ホールによる19世紀初頭の琉球の人たちの国民性、社会性、言語の調査をしている。同時に琉球近海を測量し西洋人で初めて琉球国海域の水深を計った地図を作成した歴史的事実がある。その時に作成された琉球近海の地図に、現在の「伊是名島・伊平屋島」に「モントゴメリーアイランズ（モントゴメリー諸島）」という地名をつけているのだ。

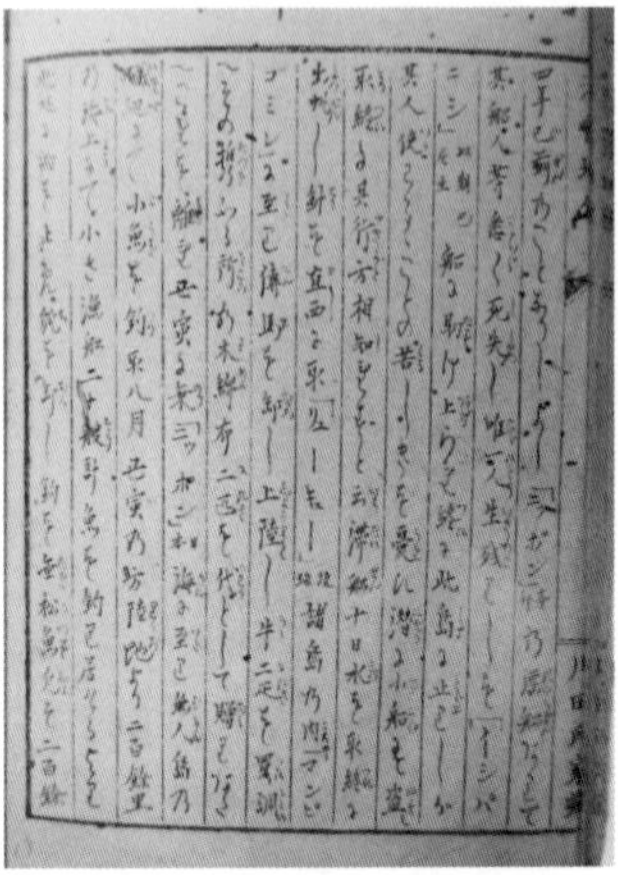
「リューチュー諸島のうちマンピゴミレに上陸」との記述のある「票巽紀略」

ライラ号の艦長バジル・ホールは、琉球の地図作成が終わるとイギリスに帰り、琉球探検の様子を地図も挿入した紀行文として書いている。そして翌年の1818年に『大琉球島探検航海記』として本にして出版した。その本は、ロンドンと米国フィラデルフィアにおいて出版されるやオランダ、ドイツ、イタリアの言語に翻訳され欧米ではベストセラーとして知ら

れるようになった。本にある地図は、琉球の平面地図だけでなく近海の水深まで記録されている。アメリカのフランクリン号を含め、欧米の捕鯨船や軍艦は、バジル・ホールによって作成された琉球地図を見ながら琉球近海を航海していた可能性が高い。それが事実であれば、ジョン・マンたちは、バジル・ホールの作成した地図を使って琉球近海を捕鯨漁のために航海していたことになる。そして、ジョン・マンは、伊是名島をバジル・ホールが名づけた「モントゴメリー」を「マンピゴミレ」と『漂巽紀略』に表記したと思われる。更に『漂巽紀略』の地図では、マンピゴミレの字のそばに「シアルバアイレン」と書いてあり、「シアルバ」というのは英語で「SULFUR（硫黄）」のことで、アイレンは、ISLAND（島）」という意味で「硫黄島」ということになる。硫黄島の名は、現在も沖縄の伊是名島北方の地図上に存在する。ジョン・マンの英語は、ネイティブ英語の発音をそのままカタカナ表記する特徴があるので、「モントゴメリー」が「マンピゴミレ」になり、「サルファ」が「シアルバ」に表記されたと思われる。確かに、「モントゴメリー」という音を連続して繰り返し発音すると「マンピゴミレ」の音に聞こえてくる。

バジル・ホールの地図では、地元の人に聞いたであろう慶良間諸島を「Ama Kirama

Is」とあり、沖縄方言読みの「キラマ」島で、記載されており現存する島である。しかし、地元の人に確認できなかった地名は、イギリス人の名前であったり、英語の地名などを使って都合の良いように名付けた傾向がある。それからすると、伊平屋・伊是名諸島を人名の「モントゴメリー」を使ったとすれば、ジョン・マンたちが上陸した島は、現在の伊平屋・伊是名諸島と推測する説がただしいと思える。ただ、更にピンポイントで上陸した島が現在の伊是名島なのか、伊平屋島なのか今のところ断定できない。

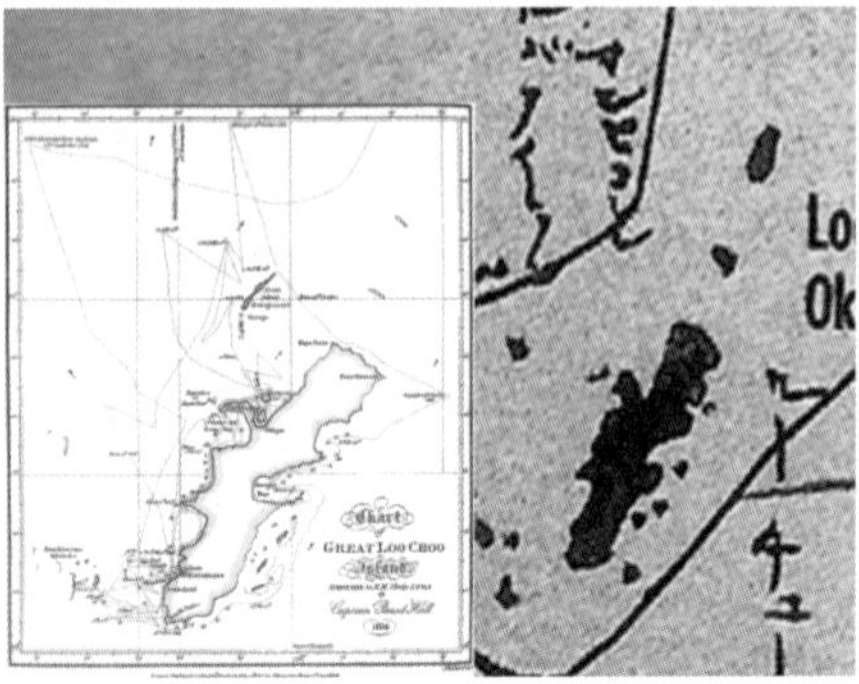

バジル・ホールの地図（左）と「漂巽紀略」に描かれた琉球の地図（右）

　それから、地名などの名称以外に『漂巽紀略』に描かれている琉球本島の地図とバジル・ホールの琉球本島の地図の形が同じであることに驚く。双方の地図が現在の沖縄本島の地図に比べると同じ場所で形とサイズが似ている。例えば本部半島や国頭の辺戸岬の描き方がバジル・ホールの地図と『漂巽紀略』の地図では、四角っぽく同じ形をしている。つまり、『漂巽紀略』の地図を描くときに、バジル・ホールの

沖縄地図を傍において絵師がそれを書き写したことがわかる。それが、事実であれば、アメリカ捕鯨船は、バジル・ホールの作成した水深まで書かれた地図のおかげでサンゴの岩礁に囲まれた複雑な海岸の地形を無事に航海できたことになる。

フランクリン号は、伊平屋・伊是名諸島の島民から牛2頭を貰い、有り合わせの木綿の反物と引き換えに貰ったのだが、やはり島に異国船が長期的に滞在することは琉球の役人たちは望まなかった。できるだけ穏便に対応し、船を島から追い出す「事なかれ主義」での対応だった。古文書『球陽』によると、この時期に琉球王府に同様の事例が他の島からも何件か報告されている。その頃の琉球には、異国人来航の際に対応するために定められた「異国方御条書」があり、この指針に沿って異国人と応対する心得が決められていた。薩摩藩を通して琉球王府に出された指針で、琉球役人の丁重な異国船への対応の方法が詳細に書かれている。アヘン戦争以降は、異国船に対して江戸幕府は、乱暴な「外国船打ち払い令」から、慎重に異国船を外洋へ送り出し、島から遠ざける柔軟なやり方に変わっていたのだ。

17　副船長に昇格

フランクリン号は、琉球で牛を貰った後で東北東の方角に向かってやっと日本の海域に入った。鳥島の近くでやもめ岩を眺めながら、小笠原諸島近海を中心に日本漁場で5月から9月にかけてマッコウクジラ追い続けた。

1847年10月10日になると、フランクリン号は、日本漁場を後にして南下し再びグアム島に戻ってきた。実は、航海中にディビス船長が急に精神的に異常をきたし、不審な挙動があり、次第に狂暴になるので監禁しなければならない状況となった。そこで、11月7日、アメリカ政府総領事のあるフィリピンのマニラへ治療のためにグアムを出航した。ところが、マニラに近づいたところで天候が悪くなり大しけに遭った。ディビス船長は、軟禁状態だったので代わりに舵を握り指揮を執るものがいなかった。そこで、バートレット学校で最新の実用的な航海術を学んだジョン・マンが舵を握り、船を誰よ

りも安全に操舵して見事にその嵐を乗り越えることができた。

11月28日に無事マニラに入港し、ディビス船長を下船させて療養のためアメリカの政府役人に引き渡した。船長の病名は定かではないが性病の一種ではないかということでこの件は領事に引き渡して任した。

ところが、この時から船長不在のフランクリン号になってしまい、船員の誰かがディビス船長の代わりに舵を握らなければならない。そこで船員が一堂に集まり今後のことについて相談をして新しい船長を決めることになった。みんなの総意で民主的に選挙をすることになったのだ。その選挙結果は、一等航海士のエーキンがジョン・マンと同票で選ばれ、年上のエーキンが船長となり、ジョン・マンは、副船長という一等航海士を務める事になった。ニューベッドフォードで乗船した時には、下級船員の給仕係だったが、ここで一挙に副船長に昇格したのだ。それも、きっとマニラまでの航海中に嵐の大しけを乗り越えた実力が船員たちに認められたからだろう。ジョン・マンは、21歳にして捕鯨船の副船長を任されたことになる。ディビス船長は、マニラで降ろされてから4カ月後の1848年の5月に商船マドラ号でボストンに送り返された。

新しいエーキン船長のもと、フランクリン号はマニラを1848年1月19日に出港し

た。マニラから北北東に進路を取り、台湾の東海岸から、琉球の西海岸を碇泊することなく北上し、太平洋に入ると四国沖を日本の東海岸に沿って北上した。左舷に日本本土を見ながら東北地域に近づくと地元の漁船が漁をしていた。1848年6月、小さな漁船20数隻が漁をしているのを発見すると、フランクリン号も船を停めて帆を収めて、竿を出して釣りを始めたところカツオを20尾余り釣ることができた。

この時、小さな漁船2隻が本船に近づいてきたので、ジョン・マンは、急いで持参していた土佐の漁師が着ける半纏《はんてん》の「どんさ」を着けた。ハンカチを頭に巻き付けて典型的な日本人風の漁師の風体になって、大声でその漁船を呼び止めた。ジョン・マンは、「ここは、どこの国だ」と問いかけると、小舟に乗った漁師が「陸奥国の仙台だ」と答えてきた。それを聞いてジョン・マンは、急いで船から捕鯨ボートを下して、パンを仙台の漁師に与えて「土佐の国は、ここからだとどっちの方角になる?」と聞いたところ、「土佐のことは全然わからない」という事だった。その漁船の男たちといくつかの言葉を片言の土佐弁で交わしたのだが残念ながらほとんど通じなかった。ただこの仙台の漁師がカツオを持ち上げて「これを差し上げよう」というので「我々も先ほど相当釣ったので要らない」とお互いジェスチャーで伝え合った。漁師たちは、パンを貰った

礼を言って万次郎の乗っている捕鯨ボートから離れていった。

ジョン・マンのがっかりした様子を見てほかの船員たちが同情して励ましの声を掛けてくれた。「あの日本の漁師たちは、ジョン・マンが住んでいた所とは異なる地方に住む人たちだろう。だから、それぞれ違う地方の方言を話すのでお互い通じ合うことができなかったんだ。まだ、チャンスはきっとあるよ」と肩を撫でてくれた。デービス船長と日本近海に近づいたら日本に帰ることが可能なら降ろされる約束もしていたので今がチャンスとばかりにジョン・マンは、興奮していた。ところが、いとも簡単に日本人から見放された感じでショックだった。しかし、その時に日本へ帰れなかった理由は、フランクリン号に乗船した時に交わした船員証書規則とエイキン船長の頼みもあって船を離れることができなかったことが大きな理由であった。船長としてまだ慣れないエイキン船長もジョン・マンを頼りにしていたので、ここで船を降りられると一人でフランクリン号を最後まで操舵できるか不安であったのだろう。

フランクリン号は、それから1年間も太平洋上で捕鯨をするが、残念ながらその後日本人と会う機会はなかった。仙台沖を後にしてフランクリン号は、太平洋の港と呼ばれるハワイへと向かった。

18　仲間との再会

1848年10月17日、フランクリン号は、ホノルルのサウスハーバーに到着し船倉の鯨油を降ろすことにした。ジョン・マンは、上陸するや7年前にここハワイで別れた伝蔵や五右衛門、寅右衛門そして重助に会いたくて捜すことにした。ジョン・マンは、ホイットフィールド船長から「ハワイに行けば必ず聖職者・デーモン牧師という人に会いなさい。デーモン牧師は、遭難した時の仲間の面倒を見ることになっている」と言っていた、その言葉を思い出した。デーモン牧師に会えば伝蔵と五右衛門、寅右衛門、重助に簡単に探して会えるかもしれないと考えた。幸いにも、デーモン牧師に会いに行く途中で、偶然にも道で会った現地の人に日本人4人を探していることを話すと、ひとりだけ知っているとの事で、大工をしている寅右衛門のところに案内してくれた。仕事場に連れて行かれ、屋根の上で作業をしている寅右衛門が万次郎に気付き大声で叫び下りて

きた。お互い抱きしめあって7年ぶりの再会を喜び合った。そして、寅右衛門は、仕事を一休みしてこれまでにハワイで起こったことを万次郎に語り始めた。万次郎がジョン・ハウランド号で去った後、4人ともいろんな種類の仕事をさせられた。主にハワイ政府が提供してくれる雑用で慈善作業だったが、徐々に飽きてきたのでもっと別の仕事がしたいと頼んだ。そこで、4人と親密にしているゲリット・ジャッドが寅右衛門に、大工の見習いをさせて、ほかの3人にも別の仕事を紹介してくれたということだった。

また、五右衛門は、重助が1844年10月25日にハワイ島民としてカメハメハ3世に誓いをして市民権登録をしたことを話した。そして、五右衛門が1845年1月10日に、寅右衛門が1847年2月13日にそれぞれハワイ島の市民権登録をしたと言った。しかし、伝蔵について市民権登録をしたかどうかはわからなかった。

その後、急に寅右衛門の声のトーンが下がり、重助が病気で死亡したことを聞かなければならなかった。重助は、遭難した時に鳥島で足をケガして、それがなかなか治らず隣村の医者にも診てもらったのだが、残念ながら回復することは無く可哀そうに亡くなってしまった。享年30歳であった。亡き骸は、1846年1月にカネオへの墓地に葬ってあるとのことだった。その後、伝蔵と五右衛門は，海岸寄りに小屋を建てて墓守

として暮らしていた。少々の畑を拝領し、そこを耕して芋、黍、栗、瓜などの農作物を作った。五右衛門は、アメリカ人の宣教師と友達になってその人の教会に雇われて仕事をしているとのことだった。

続けて、寅右衛門が話したのは、ホイットフィールド船長が1847年12月にハワイに立ち寄った際に、伝蔵と五右衛門をアメリカの捕鯨船フロリダ号で日本に帰れるように手配をしてくれたことだった。寅右衛門も別の船で日本に帰すつもりだったが、船の船長に親切心がなく乗船できなかった。実際には、寅右衛門も全然知らない人の船に乗るのは嫌だったのが理由だったらしい。また、彼は、海で遭難した時のことがトラウマになっていたので、二度と漂流する危険な経験はしたくなかった。それで、そのままハワイに留まることにしたのだ。それでも、伝蔵と五右衛門のふたりは、寅衛門を残しホノルルをフロリダ号で出発した。願わくば、今頃無事に日本の土を踏んでいてほしいものだと寅衛門は言った。万次郎は、内心、日本に帰るときは一緒に帰国したいと思っていただけに伝蔵と五右衛門だけが先に帰ったことに憤りと失望感やらでショックを覚えていた。万次郎は、2人が出発してどれくらいの期間になるのか聞くと、「1847年の12月17日出発したので、かれこれ1年近く経過している」と答えた。万次郎は、一緒に

帰ろうと思っていただけに、再びがっかりして頭を垂れ仕方なくフランクリン号に戻った。

ジョン・マンがハワイに寄港して10日目になっていた。すると偶然にも、ホノルルの港に伝蔵と五右衛門兄弟が戻ってきたという情報が入った。1848年10月28日のことである。万次郎は、駆け足で港に行き2人を見つけるとお互いに抱きしめあって再会を喜んだ。万次郎は、「寅右衛門から二人が日本へ帰国する船に乗ったことは聞いたがどうしてここに戻ってきたんだ」と尋ねた。2人は、涙を流しながら、日本の海域へ行ったこと、八丈島や蝦夷地にも寄ったが誰もが自分たちに関与することを拒んだので帰国が叶わなかったことなどを語ってくれた。二人は、ただただ悔しい思いが込み上げて涙を流しながら残念がった。万次郎にとってもそれは悲しく日本へ帰ることの難しさを思い知らされた情報であった。

それから1週間ほど万次郎は、オアフに滞在するのだが、その間にデーモン牧師を訪ねてみた。デーモン牧師は、マサチューセッツ州生まれでアムハースト大学を卒業し、プリンストン神学校で学んだ。その後アメリカ会員友の会から派遣されて妻のジュリアとともにホノルルに来た。以来、デーモン牧師は、キリスト教の牧師として、ハワイに

立ち寄る捕鯨船員たちの精神生活の安定と劣悪な労働条件の改善のために働いていた。そして、その目的を果たすために1843年1月に、「フレンド」という新聞を創刊した。この新聞は、当時の世界の動きを知る情報源として重要な役割を果たすことになる。それらの情報は、捕鯨船員が立ち寄った各地の捕鯨漁場や港で得た情報がほとんどで、それ以外に商船の船員であったり、軍艦の水兵などから聞き取りして集めたニュースもあった。無線機が発達していなかった時代は、海外の情報が口コミで鯨油の集約地であるハワイに集まっていた。それで、その情報を必要な人たちに分かち合うための新聞『ザ・フレンド』紙の発行を考えたのがデーモン牧師であった。

ホイットフィールド船長は、デーモン牧師と長く懇意にしていたので、太平洋上の島々で得た情報をホノルルに着くと『フレンド』紙に時々寄稿することもあった。そのように親しい友人という間柄だったようだ。この時期のハワイでは、日本の漂流民をめぐる問題が大きくクローズアップされていた。

1830年代後半から1840年代になるとアメリカ捕鯨の漁場が大西洋から太平洋に移り、日本近海においては4月から9月までがマッコウクジラの捕鯨の季節となる。当時の日本の航海術は、未熟であり台風など嵐に会って沖合へ流されると遭難する日本

の漁船や商い船が多かった。そのような日本人漂流民とアメリカ捕鯨船が出会う確率が高くなると救助される漂流民が増えてきたという事である。１８４１年6月に鳥島で救助されたジョン・マンたちもその一例であったのだ。「フレンド」紙でも取り上げられた日本の漂流民は、鯨油を降ろす港のホノルルに連れられてくるのが通例であった。そして、そこから漂流民を日本近海や中国に行く船があれば便乗させてハワイ港から送り返すのが常であったようだ。中国に連れていかれた漂流民は、中国と日本を行き来する船に便乗させてもらい中国から日本へ帰る手はずだった。

まさしく、その状況下で起こるべくして起こった大きな事件が2件記録されている。実際に『フレンド』紙でニュースとなった事である。それが、１８３７年のモリソン号事件と１８４８年に起こったラゴダ号事件である。

フレンド紙を発行して、太平洋の情報を発信し続けたデーモン牧師

19　モリソン号事件とラゴダ号事件

１８３７年、アメリカ合衆国の商船モリソン号が浦賀に来航し、「外国船打払令」に従った浦賀奉行の砲撃をうけ、さらに鹿児島湾に入港しようとして再び薩摩藩に砲撃されるという事件が起こった。しかし、このモリソン号にはマカオで保護されていた日本人漂流民の音吉・庄蔵・寿三郎ら7人が乗っており、モリソン号はこの日本人漂流民の送還と日本との通商、キリスト教布教のために来航していた事が後で分かり、日本の「外国船打払令」に対する批判がハワイやアメリカ本国で高まり大きな事件として取り上げられた。

また、１８４８年、アメリカの捕鯨船ラゴダ号のフィンチ船長と水夫が意見が合わず、船内で反乱を起こして水夫15人が3隻のボートに分乗して北海道の蝦夷小砂子村に上陸した。捕鯨船から水夫が脱走したのである。その15人のアメリカ人は、松前藩の役

人に捕らえられて長崎へ送られ、牢屋に入れられた。更には、異国人であるにもかかわらず踏み絵を踏まされるなどそれは、キリスト教信者にとって精神的にも残酷な仕打ちだった。そのうちの一人、ロバート・マコイは、牢屋から逃亡を企てたので捕まり足カセをはめられて牢獄に入れられた。一人は牢獄で病死したようである。ラゴダ号の乗組員が長崎に幽閉されているという情報は、やがてオランダ商館長レフィーソンを通じて、アメリカ東インド艦隊司令長官ガイシンガーが知るところとなり、グレン艦長率いるプレブル号が救助のために日本へ派遣されることになった。

さらにハワイでは、このような日本に対する批判が高まる中で、ロシア、イギリス、そしてアメリカが艦隊を派遣し、日本を攻撃するうわさがささやかれていた程である。ハワイの『フレンド』紙は、このような情報を船員たちから聞き取り、掲載するとたちまちにアメリカ本国でもそのニュースが問題となるなど、日本の動きを知らせる情報源として重要な役割を果たしていた。

アメリカ東インド艦隊司令官ガイシンガー提督からラゴダ号事件の連絡を受けて、部下のグレン中佐へアメリカ捕鯨船員を救出すべく長崎行きの命令が出された。１８４９年4月17日、グレン艦長のプレブル号が長崎港に入ると、5月20日にオランダ出島商館

長・レフィーソンの仲介で、漂流者を長崎奉行所から出島商館に引き渡した。生存しているラゴダ号漂流者の13人と単独上陸したロナルド・マクドナルドの合計14人が、香港に立ち寄ってからニュー・ベッドフォードの母港に無事帰港している。日本でのアメリカ遭難船員への取扱いが「虐待」として伝えられた1850年の初め頃から、アメリカ議会でも真剣な議論がなされていた。ラコダ号遭難船員及びマクドナルドは奪回したものの、幕府側の鎖国政策は変わらなかった。そのため、米国議会には、「日本とは通商ではなく、外交政策として対応し、もし、態度を変えない場合は、軍隊による強制も辞さない態度を取るべき」と進言された。フィルモア大統領は、日本への開国のための使節派遣を必ず成功させねばと考え、結果としてペリー提督が、黒船に乗って日本遠征を成功させた。それからすると、日本の開国は、アメリカ捕鯨船員によるこのような関連事件が起こったがゆえに、早期に実現されたと言っても過言ではない。この頃から日本の歴史は、捕鯨船と関連しながら鎖国の時代を終わらされる運命へと動いていたということになる。

グレン艦長が長崎港に入港し、アメリカ捕鯨船員を救出する事件は、まだジョン・マンが、フランクリン号でホノルルを離れインド洋を横切ってニューベッドフォードに帰

る航海中に起こっていたためこのニュースは知る由もなかった。その時、ジョン・マンは、伝蔵たちと別れ、早い時期での再会を約束してフランクリン号に戻りアメリカへ向かって航海をしていた。

ところで、1847年3月12日にジョン・マンがグアムからホイットフィールド船長に送った手紙は、同じ年の11月18日にハワイへ寄港したホイットフィールド船長の手元にやっと届いた。船長はその手紙を読んで、ジョン・マンは無事に日本に帰り家族とも会って一緒に暮らしているだろうと思っていたようだ。しかし、実際には日本への上陸のチャンスは叶わずジョン・マンは、ハワイに戻ってきた。ホイットフィールド船長は、1847年12月16日、ウイリアム＆エリザ号でホノルルを出航してからすでに約1年が経過していた。それで、ジョン・マンがフランクリン号でホノルルを出航したのが1848年11月3日なので、出発の5日前にジョン・マンは、再び船長にホノルルから手紙を書いている。

【ホノルル　1848年10月30日

親愛なる友へ

私は、デーモン牧師とスミス家族にお会いしました。彼らは、私に会えたことを喜び、またあなたとても親交があると伝え、あなた宛てに手紙を書いてあなたと奥さんに敬愛の念を伝えるように言われました。デーモン牧師からは、新聞とあなたが寄稿した月刊雑誌を頂きました。船長、どうして、私があなたの御親切を忘れられようか、あなたが私を父親代わりに面倒を見てくれたことにどのようにお返しすべきか？　神のおかげで、何万回、いや無限にあなたの名前は忘れません。捕鯨のシーズン前にあなたの乗っている捕鯨船が水漏れで入港せざるを得なかったことを聞いて残念に思いました。神がきっとあなたたちを率直に、明白な航路へと導くでしょう。…私たちは、マッコウクジラの鯨油700バーレルを乗せて、次の捕鯨に出発しなければなりません。あなたの全ての友人たち、隣近所の人たち、そしてあなたの奥様、アメリアおばさん、そしてボニー家の皆さんに「よろしく」とお伝えください。

私は、決して皆さんにしていただいたご親切を絶対に忘れません。私の気持ちを言葉で繋ぎ合わせるのは私にとってまだ難しいものがありますので、そろそろ閉じることにします。

【ジョン・マン】

それから、ジョン・マンは、フェアへーブンで英語を最初に教えてもらったジェーン・アーレン先生からここホノルルで手紙を受け取っていたので、その返事として出航前日に急いでお世話になったアーレン先生に感謝の思いを込めて手紙に書いている。

【ホノルル　1848年11月2日

尊敬する友へ

今日のこの日に喜んでペンを持ち、あなたに心身ともに健康であることを報告して、そして、あなたやあなたの知人友人の皆さんが健康で幸福であることを願っています。私は、あなたからの心のこもったお手紙を友人を介して受け取りました。そして、今、あなたの御親切に対し、私の心いっぱいの感謝を込めた手紙を返信します。これまでのあなたの親切極まる判定で、学校に入学できる資格も得ることができ、そして、あなたに教わった正しい考え方を持って生きることの喜びを心底からいつも感じて生きています。

私たちは、700バーレルのマッコウクジラの鯨油を船に寝かせています。これからまた次の捕鯨に向けて出発しなければなりません。私は、2回ほど日本へ帰国する機会があったのですが、船員証書規則と船長の都合で船を離れることが歓迎されずできませんでした。

船長とあなたに愛をこめて

ジョン・マン】

ジョン・マンは、尊敬する二人に感謝の心とお礼を込めて2通の手紙を書き終えた。そして、1848年11月3日、フランクリン号は、予定通り西南西の方角に舵を取りホノルルの港を離れた。その間も捕鯨航海を続けながら、再びグアムで物資の補給をしてニューベッドフォードへと帰路についた。進路をさらに南西に取り、インドネシアのセーラム島でしばらく停泊したがその時に、ジョン・マンは船長の息子ヘンリーへの土産としてオウムを一羽買った。その後、ティモール島に寄り、豚、鶏などを買い求めた後、真西に進路を取りインド洋を横切った。途中マダガスカル島の近くを通り、アフリカの最南端である喜望峰を回りこんで大西洋に入った。バジル・ホール船長が立ち寄っ

てフランスのナポレオンに会い、「琉球は平和で武器を持たない王国」の存在を話したというセントヘレナ島を右舷方向に見ながら母港のニューベッドフォードの港を目指した。そして、1849年9月23日に2度目の捕鯨航海を無事に終えて、久しぶりに左手に見えるニューベッドフォードの街並みと海岸を船から眺め、景色を楽しみながらニューベッドフォードの港に帰ってきた。

フランクリン号に乗って3年4カ月の捕鯨漁がついに終わった。9月末のフェアヘーブンの町並みは、木々も紅葉し秋の景色になろうとしていた。ジョン・マンは、すぐにでもホイットフィールド船長に会いたかった。そして、ハワイで待つ伝蔵たちと日本へ帰る約束をしたこと、使命感をもって帰国したいことをまず話したかった。そして、フランクリン号で起こった航海中の話も報告すべきと興奮していた。しかし、ジョン・マンは、フランクリン号での航海中に聞いた悲しいニュースでふと悲しみに包まれた。それは、船長の唯一の息子であるウィリアム・ヘンリーが病気で亡くなったことであった。ホイットフィールド農場に向けて歩きながら船長と夫人の悲しくしている顔を想像するだけで気が重くなっていた。日も暮れかかってやっと農場に着いた。船長とケイス夫人が喜んで我が息子のジョン・マンを迎えてくれた。お互いが言葉を交わす前にただ

ただ目に涙があふれジョン・マンを抱きしめていた。久しぶりに会うジョン・マンは、航海へ行く前よりも逞しく、男らしさがみなぎっていた。

ケイス夫人の懐かしい夕食を食べ終わると、船長と夫人は、夜遅くまでジョン・マンのフランクリン号で体験した話に耳を傾けて身を乗り出して聞いてくれた。やがて、夫人は遅くなってきたので先にベッドで休むことになったが、二人は、その後もハワイで会った伝蔵たちのこと、ディビス船長の病気でマニラに下船させたことなど深夜までジョン・マンの話は尽きなかった。特に捕鯨漁の途中デービス船長が病気となりフィリピンのマニラで下船させた時に、新たに船長を決めるため船員間で選挙をすることになり、その結果、一等航海士のエイキンとジョン・マンが同票を取ったが、ジョン・マンは先輩のエイキンに船長の座を譲り自らは副船長になった経緯も話した。ホイットフィールド船長は、そのことをすでに聞いていたが、それでも本人の口からそのことを聞くとジョン・マンの活躍と成長ぶりに心から頼もしく思い喜んでくれた。ジョン・マンもあたかも我が子のように喜ぶ船長の姿を見てうれしかった。船長は、ジョン・マンの報告を満足しながら聞いていた。アメリカの学校教育と捕鯨船の中で実践した多くの経験を通して身に着けた学問と技術は、日本から来たこの青年を間違いなく大きく成長

させていた。そして、もう井の中の蛙ではなく世界の大海を知り尽した大人へと変わった唯一の日本人になっていた。

ジェーンとアレン姉妹も会いに来てくれた。そして、英語を最初に教えていたころの青臭い思春期のジョン・マン少年と見比べてその男らしく立派に成長した姿をみて驚きを隠せなかった。2人ともジョン・マンといろんなおしゃべりをしながら、自信に満ち溢れた大人になって帰ってきたジョン・マンを誇りに思うようになった。

日本人としての誇りと自覚をいつまでも大事にしているジョン・マンは、2人の姉妹にとってはとても魅力的に見えた。ジョン・マンはいつも土佐に生まれた日本人としてのアイデンティティを保ち続けていた。その姉妹たちは、ジョン・マンのその才能と人格、アメリカ人には感じることのない日本人としての品格を兼ね備えた将来有望なこの若者をこれからも大事な友人としていたかった。

人種の坩堝《るつぼ》と言われるアメリカ合衆国は、いろんな人種、歴史と文化の違いにより価値観が違う人たちが交じり合って生きている。その国は、敢えて違う価値観を大事にし、多様性を認め合い尊重するところがある。ジョン・マンも日本人であることを誇りとし、その価値観を常に保持し意識してアメリカ人の中で生きていた。その姿がアレン

姉妹にとってアメリカ人にはない日本人の持つ魅力に見えていたに違いない。

ジョン・マンは、その後もフェアヘーブンで昔の友達と楽しい時間を過ごした。心温まる会食を持ってくれたりしてとても愉快な楽しい時間だった。しかし、一日に何度か必ず日本へ帰りたい気持ちがジョン・マンの脳裏を横切っていた。望郷の念を抑えることができず、「日本人で外国に住んだものが帰国した場合は死刑に処す」という鎖国の掟であろうが、命を懸けてでも日本に帰りたかった。それが、ジョン・マンの強い気持ちだった。

ジョン・マンがフランクリン号に給仕係として乗船してから、航海中にディビス船長の病気による下船がきっかけで副船長に昇格し、多くのマッコウクジラの鯨油を船倉に収めてきた。アメリカ捕鯨の仕組みでは最終的に会社の方で全収益をまとめる。そして、会社の役員、株主の取り分、労働者としての船長と水夫たちの役職による取り分を計算してから、給与として払うという株式会社の仕組みだった。幸いにこの時は、ジョン・マンの当初の予定より航海中の副船長への昇格による功績が加味されて、本人の期待を超えた350ドルの給料をもらうことができた。ジョン・マンにとって納得のいく金額だったようだ。

ところで、日本人でアメリカ捕鯨の「株式会社」の仕組みをいち早く理解し行動に移したのは、幕末の英雄である坂本龍馬であった。龍馬は、日本で最初に株式会社を創設し薩摩藩が株主となり出資してできたのが「亀山社中」である。龍馬は、「河田小龍塾」でアメリカの株式会社の仕組みを学び、大型商船に乗って世界の海を股にかけて貿易することを夢見た男だった。株式会社の仕組みを最初に河田小龍に教えたのは、中濱万次郎でそれは、捕鯨船の株式組織から得たアイデアだったのだ。それからすると、直接的ではないが、龍馬の生き方に万次郎が間接的ではあるにしろ影響を与えていたと考えると大げさに聞こえるだろうか。

ジョン・マンは、ウエスト＆ペイン会社からの350ドルの給金に不満はなかった。しかし、その金額では、ハワイで帰りを待つ伝蔵と五右衛門と一緒に帰国する旅費を考えると帰国資金として十分でないことは分かっていた。

ジョン・マンは、日本に帰り母にも会いたいし、さらに心に秘めた使命感を持って自分のやるべきことを果たすためにも帰国したい思いを繰り返しホイットフィールド船長に熱く語っていた。しかし、帰国するにもその旅費が十分でないというのが一番の問題であることも知っていた。

ジョン・マンは、フランクリン号を下船してから、ニューベッドフォードの街のあちこちの壁に張られているポスターが気になっていた。そのポスターには「カリフォルニア州でゴールドが発見されたのであなたも蒸気船に乗って金採掘をしてお金を稼ぎませんか」という内容が書かれていた。そのポスターについては、ホイットフィールド船長が知っている限りの詳しいゴールドラッシュについての情報を提供してくれた。そして、ジョン・マンは、いつしかカリフォルニアに行って金を採掘して必要な旅費をそこで短期間に作ることができるのではないかと真剣に考えるようになってきた。そして、船長も万次郎の思いを理解しカリフォルニアまで陸路ではなく船に乗って行くことに賛成した。船長は、いずれ万次郎は生まれ故郷の日本へ帰るべき人間だと思っていたが、その時が来たのだと思えば、やはり別れることの寂しさは隠せなかった。

1849年9月頃は、アメリカ中がゴールドラッシュに浮かれていた時期であった。そこで、万次郎は、日本帰国の資金作りのため、多くの山師たちに混じり金探しをしようとついに決心した。偶然にも同じスコンティカットネックの農場の近くに住むテリーも金山に興味があり、いろいろと相談をして一緒に行くことを約束して二人で旅に必要な準備を始めた。金鉱では、採掘用道具の値段が高いというのでツルハシ、鍬、手桶な

どの道具もニューベッドフォードで買い整えた。

20　船長との別れ

１８４９年の10月にニューベッドフォードの街中にサンフランシスコ行きのスティグリッツ号のチラシが張られていた。ジョン・マンは、そのチラシに興味をもって、スティグリッツ号の船主の会社タッカー社を訪ねた。そして、サンフランシスコまでの船員として雇ってもらい、その代わり、報酬はいらないので船賃と食事代は無償にしてほしいとお願いしたところ、対応してくれた職員に即座に断られてしまった。ジョン・マンは、がっかりして農場に戻り、そのことをホイットフィールド船長に話すと、船長が再度交渉してくれることになった。船長は、直接スティグリッツ号の船長であるジョセフ・ホーリーに会って交渉したところ、ジョン・マンのためにひとり船員を追加して雇うことに同意してくれた。しかも、食事付きで、船員としての仕事もしてもらうので報酬も払ってくれる約束で乗船する契約がスムーズに成立した。この件で、ニューベッド

フォードでいかにホイットフィールド船長は、誰もが知る人徳のある信頼された男であったかを改めてジョン・マンは知らされ、尊敬のまなざしと感謝の気持ちが込み上がってきた。スティグリッツ号には、サンフランシスコへ運ぶ材木がどっさり積み込まれていた。この時期のサンフランシスコは、ゴールドラッシュの影響を受けて急激に人口が増えており、同時にホテルや住宅などの建築用資材である木材が不足していたのである。

フランクリン号で帰港してからわずか2か月余りの住み慣れたフェアヘーブンだったが、予定通りに11月27日にニューベッドフォードの港からスティグリッツ号に乗船し出発する事になった。ジョン・マンにとって第二の故郷となったフェアヘーブンを後にして、ホイットフィールド船長とケイス夫人との別れはつらかった。多くの友人たちとも別れの挨拶を交わした。ジョン・マンは、新しい夢と挑戦に心を躍らせ、今やるべきことを前向きに見据えて進むだけだった。

この時期のホイットフィールド船長は、アメリカの産業としての捕鯨漁がそろそろピーク時を通り越して徐々に斜陽化し始めていることを感じ始めていた。これまでは、アメリカのクジラ製品は、アメリカの市民だけでなく、特にヨーロッパの人たちの生活

に欠かせない必需品であった。しかし、１８３０年代頃までに大西洋のセミクジラが乱獲で激減してくると、１８４０年代に太平洋のマッコウクジラが注目されて重宝がられていた。しかし、それもやがて新しい北極海の漁場へと移り、クジラの数が年々減っていく傾向にあった。

１８５０年代になると日本近海の漁場も乱獲によりマッコウクジラが減少していくとオホーツク海、さらにはベーリング海あたりまで漁場が拡大されようとしていた。そして、起こるべくして北極海の沖合で34隻の捕鯨船が氷に閉ざされ押しつぶされてしまう事故が起こった。その後も同じ運命に遭遇し事故が続くと捕鯨船も減少しアメリカの捕鯨業の先が見え始めてきた。

残念ながら、アメリカの捕鯨業の衰退は、そのような自然現象だけが原因ではなく、人為的にも大きな原因があったようだ。その一つに、１８４８年にカリフォルニア州サクラメントで金が発見されたことによるゴールドラッシュがある。捕鯨船がカリフォルニアに着くと、捕鯨船員は、捕鯨船の船主との契約を無視して先を争って脱走して金鉱へ入り込んだ。そのため、捕鯨船は船員不足で航行する能力を失う事態が多く発生したのだ。また、ある船主たちもその新しいブームを先取りするかのように、カリフォルニ

アへ黄金を探す採掘者たちが宿泊する小屋の建築資材や採掘者を運んだほうが儲かることに気付き始めたのである。

この時期でも、鯨油の需要はまだ高かったが1850年代に入ると石油から灯油を蒸留する処理工程が発明され石油が鯨油に代わるものとして注目され始めていた。やがて石油がすべての燃料エネルギーとして家庭の照明が鯨油ランプから新しい石油ランプに変わる時代がすぐそこまで来ていた。

さらに、人為的な原因として、1835年以来繁栄し続けたアメリカの捕鯨業に大打撃を与えたのが1860年に勃発した南北戦争であった。その戦争中に南部連合軍の軍艦によって北軍側の捕鯨船50隻が攻撃を受けて沈没させられた。今度は、南部連合軍の軍艦が、北軍基地であるチャールストン港とサバンナ港の湾口に出入りできないよう北部連合軍によって自ら捕鯨船40隻を港の出入り口に沈めたのである。そのように戦争中に捕鯨船が沈没させられたり、軍用船としても使われると捕鯨船の数が激減していったのである。

それに追い打ちをかけるように戦争が終わると、石油の使用がますます増加し鯨油の市場を圧迫し続けていた。それ以外にも、アメリカの資本も労働力も捕鯨業から、織物

工場の建設に資本が流れ、労働力も危険な捕鯨漁よりも、安全・安心な職場としての織物工場で働こうとする元捕鯨船員が工員となる職業替えが増えて、労働力の移動という社会現象が起こってきた。ゴールドラッシュによる捕鯨漁の労働力の減少、捕鯨船が材木などの物資と金の採掘者など人間の運搬のために目的外の使用に変更されたことにより捕鯨業が徐々に衰退していくことを、ジョン・マンが去ろうとするこの時期に、ホイットフィールド船長は先の時代を読んでいた。それと、乱獲による次の世代のクジラの減少についても捕鯨をしながら危惧していたことであった。それは、マッコウクジラ漁などは、群れの中にいる次の世代の子クジラを先に銛で突いて、その死に悶える子クジラを守るかのように離れようとしない親クジラを最後に射止めるのだから、次の世代のクジラがいなくなるのも当然である。それは、乱獲により次の世代のクジラをその漁場で失うと次の漁場を求めて未開の危険な北極海近くベーリング海まで新しい漁場を求めて移動するしかなかった。しかし、北極海の沖合で捕鯨船が氷に閉ざされ押しつぶされてしまう厳しい自然環境が捕鯨をさらに難しくしていた。エネルギーとしての鯨油も限りある資源であることに間違いはない。ホイットフィールド船長は、この時期にすでに捕鯨漁の将来を危惧していたのだ。因みに、ジョン・マンを救助した時のジョン・ハウ

ランド号は、最後の航海をベーリング海で氷に閉ざされて捕鯨船としての役目を終えている。

ホイットフィールド船長が、近い未来に起こる石油の発見と南北戦争が理由で捕鯨業が劇的に衰退することは、ジョン・マンが、カリフォルニアに行こうとするこの時期に、想定することは難しかったかもしれない。でも、結果的にジョン・マンが日本に帰りたいタイミングでゴールドラッシュの波に乗ろうとしていた。それも帰国のための資金作りのため自らそうさせてくれと願い出てきたのだ。その時に、ホイットフィールド船長は、ジョン・マンの考え方に反対せず、聞き入れてゴールドラッシュの金鉱に行かせたことは結果的に間違っていなかった。故郷への思いを押さえることができなかったジョン・マンの運命は、「日本に帰り、やるべき使命を果たせ」と言わんばかりに現実味を帯びてきたのである。

第5章　帰国計画

21 ゴールドラッシュ

１８４９年11月27日にスティグリッツ号に乗船してニューベッドフォードを出航したジョン・マンは、思い出多いアメリカ東海岸のフェアヘーブンを、再び後にした。そして、これから向かうサンフランシスコは、アメリカ西海岸ではるか太平洋の西には日本があると思うだけでも心が躍った。大西洋のアメリカ東海岸を一路南下し、南米大陸の東海岸をさらに南下し最南端にあるホーン岬を通過して、そこを回り込み太平洋に入ると真北に進路を取った。１８５０年4月になると南米チリの険しいアンデスの山々を右手に見ながらやがてチリのタルカウアノ港に4月11日に入港した。その時の乗船客が18人で、船員がジョン・マンを含めて20人だから38人が乗船していたことになる。薪水食糧を積み込み1週間後には出港できた。船は、ペルー、メキシコ西海岸を通過すると、さらに北上してカリフォルニアのサンフランシスコ港に5月22日に到着した。

ジョン・マンは、船を降りて6か月分の給料を受け取った。当時の商船の水夫の月給が約17ドルだったので約１００ドルの給料だった。本来なら船賃を払ってサンフランシスコまで乗船させてもらってもいいのだがジョン・マンは、一流の航海士として扱われ、無論仕事もできた男だった。この時に、一等航海士の資格を持っている有難さを捕鯨船以外で初めて経験したことになる。これも、乗船の交渉をしてくれたホイットフィールド船長のコネクションもあったことは忘れてはならない。

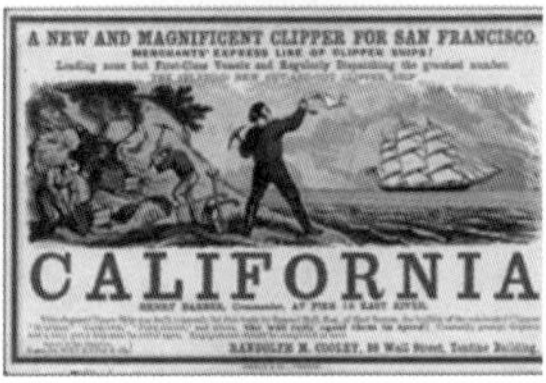

カリフォルニアでのゴールドラッシュを伝えるポスター

　サンフランシスコは、太平洋を臨む湾内にあって貿易船や商船など多くの船の停泊港として栄えていた。そして、アメリカ西部に位置したカリフォルニアの大きな港町でもある。当時の市街地は、３０００戸以上の商店が立ち並び、住宅が１５００軒くらいある繁華街になっていた。港には船がたくさん係留されていて、サクラメ

ントの金鉱に行くために放置された船も含めて帆柱が林立していた。大砲を乗せた軍艦一隻も停泊して警備にあたっていた。

ジョン・マンは、とりあえず金鉱のあるサクラメントの情報を集めるため、3日間ほどこの港町に滞在することにした。サンフランシスコの街を散策していると東洋人が歩いていたので日本人だと思って声を掛けると言葉が違うので中国人だとわかった。この時期は、ゴールドラッシュの影響とカリフォルニアにサクラメント・バレー鉄道が建設されることもあり、サンフランシスコの街は、鉄道列車の線路を引くために中国アモイから苦力《くーりー》と呼ばれた多くの中国人労働者が太平洋を渡ってカリフォルニアに住んでいた。ちなみに、そのような中国人は、アモイから東シナ海を航行し、八重山諸島から琉球近海を通って太平洋の航路に入る。

1852年、八重山の石垣の沖合で、約400人の中国人を乗せたアメリカの貿易船ロバート・バウン号で起きた暴動事件があった。船底に閉じ込められ、中国北方民族特有の習俗である髪を編んで長く後ろへ垂らした「弁髪」も切り落とされ、裸にされたあとで胸に焼ごてを押し当てられた。労働者として売り物にならない病気持ちは、海に突き落としてサメに食わせたところ、船内の中国人は、初めて自分たちが奴隷にされたこ

とを知り暴動を起こしたのだ。

中国人は、アメリカ人船長と船員を殺して、船はそのまま潮の流れに乗って航行していたが、石垣島の崎枝村沖合で座礁し、380人の中国人苦力が泳いで石垣島に上陸した。その事情を知らない八重山の役人たちは、最初に崎枝村の赤崎に中国人たちを救助するため収容所を設けたが、後に富崎に移して収容した。その後、そのロバート・バウン号の暴動事件を知ったイギリス船2隻が中国人が収容されている富崎を目掛けて砲撃し、さらに武装した兵士200人以上が石垣島に上陸して逃走した苦力を射殺・捕縛した。白人に抵抗した見せしめにその場で100人近くを殺害し出航したという事件が起こった。その後、石垣島の人たちは、中国人の遺体を供養するため「唐人墓」を建立している。

石垣島でのロバート・バウン号のような残酷な事件は、一例でほとんどの苦力たちは、無事に中国東海岸のアモイの港から出航し、太平洋を横断すると西海岸のサンフランシスコで鉄道線路設置工事労働者として生活をしていた人が多かった。彼らを日本人と間違えてジョン・マンは話しかけたのだ。そのようなことをジョン・マンは、ほとんど知らないで中国人が経営する「唐人の宿屋」に泊まり、久しぶりに米飯におかずは牛

肉、魚肉類を油揚げした中華風料理をたらふく食べた。それでも、朝昼夕飯付きで宿代が1ドル50セントであった。

当時のサンフランシスコは、捕鯨船の乗組員が脱走して金鉱に向かうことも多く発生し、桟橋やドックは数百の船が放置されたままとなり、まるで港に浮かぶマストの林のようであった。サンフランシスコの企業家は、放置された船舶を倉庫、店舗、酒場、ホテル、さらには監獄にまで転用して使っていた。これらの船の多くは後に破壊されて土地を造成するための埋め立て材に使われたようだ。

宿屋から２００メートル離れた岸壁には、サクラメント川を上る船が係留されていた。ジョン・マンにとって初めて見る蒸気船と呼ばれる客船だった。帆は無くて両舷に外輪のある蒸気船なので、ジョン・マンは好奇心旺盛な少年となり目をキラキラさせて興味深く眺めた。金鉱のあるサクラメントに行くにはこの蒸気船でサクラメント川を一日中かけて上らなければならなかった。そこで乗船券を購入しなければならず、船賃は一人24ドルで乗客はおよそ１００人程度であった。サクラメント行きの船は、早朝の5時に出港した。この蒸気船は、英語で「スティームボート（steam boat）」だがジョン・マンのネイティブ風の発音では、「シチンボール」となる。帆は一つもなく船体中央に

巨大な湯釜を設置して、その湯釜で沸かした蒸気を船体の内外に取りつけたパイプに誘導し歯車を回す。そして、両舷の外輪を蒸気の力で回転させて前進する仕組みになっている。ジョン・マンは、捕鯨船に比べて自力で進むそのスピードと風に左右されることなく安定的に進む蒸気船に驚きを隠せなかった。

朝5時に出航した蒸気船は、サンフランシスコ湾を北上し、サン・パブロ湾に入って東北方向に進んでサクラメント川の河口に入る。途中でリオ・ビスタの街を過ぎると川幅が狭くなった。それでも、そのスピードで蒸気船は、川幅が広くなったり狭くなったりするサクラメント川を、流れに逆らい金山の方向に向かってスムーズに進んで行ったのである。内陸部を東北方角に80キロメートルほど進むと蒸気船は、サクラメントの街に夕暮れに到着し碇泊地に横付けした。

うわさに聞いた金鉱の街サクラメントに着いても、ジョン・マンは、街の中でのんびりする考えは無かった。すぐにでも金鉱に行きたかったので馬車を雇って荷物を乗せると馬に引かせながら3キロほど山手に向かって移動した。途中で宿屋と思われるところもあったが、馬車賃を5ドルも払っていたので節約のために野宿をした。食事は、自分で作った豚肉の塩漬けを5日分も持っていたので、その肉を焚火の炎にかざして焼いて

食べた。そして、薬缶《やかん》で湯を沸かしてコーヒーを飲んでこれで夕食とした。食事をする道具もみな買い揃えてあったので困ることは無く準備万端であった。翌日も同じように雇った馬車で移動しては野宿を繰り返しながら5日目の夕方にやっと目的の金の鉱山に到着した。頂上のほとんどが雪に覆われたカリフォルニア州とネバダ州の境界にまたがるシエラ・ネバタ山脈の高い山々が見えた。

ゴールドラッシュは、１８４８年1月24日、現在のカリフォルニア州サクラメントのコロマに近いサッターーズ製材所で始まった。サクラメントの開拓者ジョン・サッターに雇われた現場監督のジェームズ・マーシャルは、アメリカン川沿いに建設していた製材所の放水路で輝く金属の欠片を見つけた。マーシャルはそれをサッターのところに持って行き、二人は密かに発見物を分析した。その結果、マーシャルの持ってきた欠片は期待していた金であることが分かった。サッターは、このことを内密にしておきたいと思ったが、噂は直ぐに広がり始め、１８４８年3月にサンフランシスコの新聞社主で商人のサミュエル・ブラナンによって金発見のニュースがアメリカ中に広がることになった。カリフォルニア・ゴールドラッシュに関してブラナンによる最も有名な行動は、金採掘用道具を売る店を大急ぎで建築した後で、金を入れた小瓶を掲げながらサンフラ

ンシスコの通りという通りを闊歩《かっぽ》して、「金だ！金だ！アメリカン川から金が発見された！」と叫んだというものだった。この金鉱発見の知らせに、カリフォルニアで農業をしていた多くの家族が金を探す最初の坑夫になった。その時期は、採掘者達が選鉱なべのような単純な技術で小川や川床の砂金を簡単に探せたという。

１８４９年になると更にカリフォニアに向かう採掘者が多くなり、彼らはその年の「49（フォーティナイン）」から取って「フォーティナイナーズ」と呼ばれた。間もなくアメリカ国内のみならず世界中からの移民の波がカリフォルニアの金鉱に押し寄せることになる。東部に住むフォーティナイナーズは、船でアメリカ大陸の東海岸を南下し、南端のホーン岬を回る航路か、あるいは幌馬車で東海岸のボストンやニューヨークから中央アメリカのミズーリ、ネブラスカ、ワイオミング、ユタそして、ネバダと平原や山脈を乗り越えカリフォルニアまで東部から西部へ横断した。しかし、そこでは旅の途中でネイティブアメリカンであるインディアンとの遭遇による戦いなど、多くの危険と困難に直面しながらも命を懸けてカリフォルニアを目指さなければならなかったのである。

カリフォルニアに到達するのは容易なことではなかった。フォーティナイナーズは苦

難に見舞われ、途中で死ぬ者も多かった。アメリカ合衆国の東海岸から南アメリカの先端を廻る航海は約半年間を要して、その総延長は3万3千キロもあった。別の航路としては、ボストンから船でパナマ地峡の東海岸に到着すると中米のジャングルをカヌーやロバを使って1週間掛かって通り抜け、太平洋側に出ると、そこからサンフランシスコに行く船を待った。因みに、その頃は、まだパナマ運河は建設されていない時期である。三通りの内、陸路から行くフォーティナイナーズの多くは一番危険で経費が一番安いインディアンの住む平原を横切り、ロッキー山脈の山岳路を超えてカリフォルニアへ到着した。一番安全で経費が高額だったのはアメリカ東海岸から船で西海岸に回り込むジョン・マンが選択した航路であった。それからすると、パナマ経由がどちらも中間で、幌馬車よりも安全だが経費はかかったということだろう。

東部のボストンやニューヨークの大都市から一気に世界へゴールドラッシュ情報が広がり、海外からおよそ30万人もの移民者がカリフォルニアに集まることとなった。1848年にカリフォルニアに到着した最も初期の金採掘者はカリフォルニア近くに住んでいた農夫か、東海岸から船を使って最も速く到着できる人たちだったという。それからすると、ジョン・マンも陸路ではなく、航路で早い時期にサクラメントに入ること

のできた幸運な採掘者の一人だったのだ。その頃の金山では、20センチを掘ると金が出たし、土砂の中にも砂金が混じっていたという。しかし、要領が悪くて頑張る割には金を発掘できないのでどうしようもなく時間だけが過ぎている者も多かったと言う。そこでジョン・マンは、金の掘り方の要領を体得するために、1日6ドルの契約で泊まり込み・食事付きで金山の会社組織に雇われた。最初は、河原での金探しで少ししか取れなかったが、徐々に掘り方の要領を得てきたのでそこを辞めて独立して自分で金を掘ることにした。川に膝まで入り、選鉱鍋の中に川底の砂利を入れては前後に揺らして上部の砂利を少しづつ捨てていくと底に小さな金の塊が残るのでそれを採取した。カリフォルニアの砂礫層《されきそう》における金は、含有率が高かったので、初期のフォーティナイナーズは単純にカリフォルニアの小川で、砂金採取の形態である選鉱鍋ですくえばそこそこの金を手に入れたという。

金を掘るには自分でよい場所を見つけると、そこを他人が掘ってはいけない暗黙のルールが当初からの慣わしとしてあったことはジョン・マンにとってよかった。フォーティナイナーズにとっての利点は、金が単純に「採り放題」だったことだった。金鉱原には私的財産が無く、免許料も無く、カリフォルニア州政府が出来るまでは税金も無

かった。そのように初期におけるカリフォルニアのゴールドラッシュは、特別な無法地帯だった。ジョン・マンのように航路で早急に金鉱入りした初期の金探索者の特徴として言えることは、あらゆる経費を見積もっても、平均して少なからぬ利益を得たという。

ジョン・マンが金を採掘していた7月と8月のサクラメントの夏は暑いので、真昼間は休み、朝夕涼しい時に金探しに精を出して、できるだけ体調を崩さないように気を付けた。食事もフェアヘーブンで樽づくりの見習工をしている時、栄養失調で苦しんだこともあって、その経験を生かしてしっかり栄養にも配慮して健康管理に努めていた。お陰で金鉱で病気になることもなく順調に金を採取できたのだ。

70日間の金採掘作業を終えて、そろそろ帰国に必要な金は稼いだだろうと思うと迷わず金鉱を降りることにした。そこで、これまで使ってきた採掘道具もそれから採掘場所の権利も安く売った。いつまでも、このような危険な無法地帯で仕事を続けることはいくつ命があっても足りないと感じていた。そこで、身の安全のためにもそこから移動すべきだと思ったのだ。金鉱では、横暴な人も多かったというから、盗賊に遭った場合の用心にジョン・マンも拳銃2丁を常に腰に下げていた。琉球に上陸した時の服装が、カ

ウボーイハットを被り、釣り人に会う時にボートに乗せていた拳銃を取るが、まさにその服装で尚且つ用心のために拳銃を取ったのは、金鉱でのこの自己防衛の習慣が残っていたという事だろう。

70日余り働いて採取した金の塊を現金に換金すると、600ドルの稼ぎがあった。一日平均約8ドル余りを稼いだことになる。カリフォルニア金鉱の採掘者として唯一日本人で成功したのがジョン・マンだった。命の危険を伴った資金作りの計画は、幸運にも成功裏に終わった。それだけのお金があればハワイに残した仲間たちと一緒に日本へ帰国できると思った。

サクラメントからサンフランシスコまで同じ川を同じ蒸気船に乗って帰ることになるが、船賃は川を下ることもあって上る時よりも4ドル安い20ドルだった。同じ蒸気船だったが、来た時よりも帰りの乗船客は半分の50人ほどだ。まだまだ金山へ向かう採掘者のほうが多くて、山から帰る人が少ないという事はゴールドラッシュは、まだピークに達していないという事だろうとジョン・マンは思った。これで長い間夢見た母の住む故郷へ帰れると思うとできることはしっかりやっている自分に気持ちも晴れ晴れと満足した気分になってきた。

さて、ジョン・マンがサクラメントの金鉱で採掘している間に、アメリカの国の状況も変わっていた。サッター製材所で金が発見された当時のカリフォルニアは、事実上はまだメキシコの一部だったが、１８４６年にアメリカ・メキシコ戦争が勃発し、アメリカが勝利したのでカリフォルニアは、アメリカ軍がその後占領していた。そして１８４８年2月2日にグアダルーペ・イダルゴ条約に調印したことでこの戦争は終わった。カリフォルニアは、１８５０年9月9日をもってアメリカ合衆国31番目の州として迎え入れられた。ジョン・マンは、その日、まだカリフォルニアにいて1週間後にハワイに向けて帰ろうとしている時だった。

サンフランシスコの港は、来た時よりも蒸気船が増えていた。港の桟橋にサクラメントからの蒸気船が横づけされ、ジョン・マンは、稼いだ金を担ぎながらまず最初にサンフランシスコの街で宿を探すことにした。その時には、もうホイットフィールド船長の住むフェアヘーブンに戻るよりも、そのままハワイに寄ってそこから伝蔵たちと一緒に日本へ帰国することを考えていた。ジョン・マンは、ホノルルに行く便船を待っている間に、街中の商店街で日本にはない珍しいものを土産とするため買い物をすることにした。砂糖、特許品としての薬、コーヒー、それから船内用時計、航海器具、各種取り揃

えた小さな工具セットなどを買い揃えた。

土産の買い物も終わると、いよいよサンフランシスコからハワイのホノルルへ向かう船を探さなければならなかった。すると、ニューヨークからの荷物を降ろし、サンフランシスコで別の荷物を積み込み、ハワイのホノルルへ向かう商船エリーザ・ワーウィック号の情報がジョン・マンの耳に入った。そこで船の船員に、直接船長に会って依頼したい旨を話すと、しばらくして船長室へ案内された。ジョン・マンは、これまでの経緯をワーウィック号のホイッティング船長に説明すると同情してくれて快く乗船を承諾してくれた。船長は、ジョン・マンをハワイまでの間、この船の正式な船員として雇い、25ドルを払う条件も提示してくれた。実は、船長にとっても経験を積んだ資格を持つ船員が欲しいと思っていた矢先だったので、ジョン・マンの乗船を喜んで受け入れてくれたのだ。ジョン・マンは、飛び跳ねながらホテルに戻って自分の持ち物を船に運んだ。そして、こんなに早く船が探せてホノルルで待つ仲間たちに会えると考えただけでいつにもなく心が弾んだ。

足摺岬沖の遭難からやがて10年が経とうとしていた。それまでにいろんな苦しいことも楽しいことも多くあったが、ついに日本に帰る旅が始まることになる。商船エリー

ザ・ワーウイック号は、ハワイのホノルルへ向けて１８５０年9月17日にサンフランシスコ港を出港した。

22　琉球への上陸計画

１８５０年10月10日、商船エリーザ・ワーウィック号のホイッティング船長は、ハワイのホノルル港に船を入れた。サンフランシスコから19日間の航海であった。ジョン・マンは、港に着くとすぐに知人である「ホノルル水夫友好協会」のサムエル・デーモン牧師を訪ねることにした。

当時のハワイのホノルル港は、鯨油と情報の窓口としての役割があり、さらに特筆すべきは、フィリピンや日本で起こった事件などをデーモン牧師が「THE FRIEND」紙に記事として掲載していたことだ。その新聞は、ハワイだけでなくアメリカ本国にも送られ読まれていたのだ。10月１日のフレンド紙にラゴダ号事件について15人のアメリカ捕鯨船員が、松前藩で捕らえられ、長崎に送られたことは、すでにジョン・マンも知っていたが、その後の経過として新しいニュースが掲載されていた。それは、プレブル号

によって長崎の出島で救助された14人のうち8人のハワイ出身船員が戻ってきた事が載っている。ジョン・マンもこのニュースを目にすることができた。

ハワイでジョン・マンの突然の訪問を受けてデーモン牧師も久しぶりにに会えてうれしそうだったし、すぐに伝蔵、五右衛門そして寅右衛門も元気であることを報告してくれた。また、ジョン・マンは、ゴールドラッシュの金鉱採掘者として幸運な体験をしたこともデーモン牧師に語った。そして、金鉱で稼いだ金で日本へ持って帰る航海用の器具やいろいろな土産も買ったし、残りのお金はこれから日本へ帰る長旅の食料などの必需品を買うつもりであると語った。デーモン牧師にこれまでの経緯を説明した後で、いよいよ伝蔵たちに会いに行くことにした。

最初に会ったのは五右衛門で、彼は歓喜の声をあげて万次郎を迎えてくれた。ジョン・マンの名前は、ホイットフィールド船長が名付けたアメリカ風の名前なのでハワイに戻ってくると、日本で呼ばれた「万次郎」の名前で呼び合った。それだけでも、万次郎にとって仲間に会えたことの喜びと帰国する実感が湧いてきてうれしかった。伝蔵も元気でパーカー家と一緒に生活し、寅右衛門もホノルルから10キロほど離れた所に住んでいた。五右衛門自身は、現地の女性と結婚してハワイ人の妻と一緒にプープンという

地で持ち家に住んでいることも話してくれた。五右衛門は一方的にハワイの話をした後で、万次郎と一緒に伝蔵と寅右衛門に会いに行こうと誘ってくれた。

久しぶりに4人が一緒に会うと、万次郎はフランクリン号で捕鯨漁をしながら南洋の島々でみた話や琉球の島に上陸したこと、仙台沖合での漁師たちと出会ったことを話した。その後、カリフォルニアの金鉱での採掘で苦労もしたが日本へ帰る十分な金を稼ぐことができたことを報告した。3人にとっても、自分たちと違う冒険をしていた万次郎の話に興奮してきた。伝蔵と五右衛門もこれで日本に帰ることが現実に思えてきて望みが湧いてきた。しかし、寅右衛門は、日本に帰ることを望んでなかった。ハワイでの生活に馴染んで今の生活に何の不自由も感じず満足していると語った。しかも大工仕事も板に付いて生活は楽になっていた。他に、伝蔵と五右衛門が再び海を渡って危険を冒してまで鎖国の日本に帰ろうとしたが、結果的に失敗に終わったことも寅右衛門はにとって帰国する気になれない理由であった。「鎖国の日本に帰ることは、危険を冒して命を失うようなものだ」という忠告をしたにも関わらず、彼らは実行し失敗して戻ってきたからである。

しかし、万次郎はどちらかと言うとそうは考えていなかったので、寅右衛門の意見に

反論した。江戸幕府は、むしろ遭難した我々を憐れみ、罰することをしないだろうと、万次郎は自論を述べた。その万次郎の考え方に伝蔵と五右衛門は同感していた。寅右衛門がもうひとつの理由として、「現地の女性と結婚して、妻と一緒に生活をしている、もしそのような計画を妻に話すときっとそれは無茶な話なので受け入れるわけがない」とも言った。結局は、4人とも状況をしばらく静観することとして、寅右衛門も最終的な結論を引き延ばすことになった。

1850年10月8日にアメリカ捕鯨船ニムロッド号と、15日にヘンリーニーランド号で日本人がホノルル港に上陸したニュースが入った。そこで、万次郎らは、早速3人で港に行ってみた。すると、日本の紀州日高出身者の船頭で寅吉と菊次郎ほか3人が港にいたので話を聞くことにした。どうやら「天寿丸」という千石船で江戸から有田に帰るときに嵐に遭い、日本近海で13人が遭難して太平洋上を漂流している時に救助されたという。アメリカ船籍でニューベッドフォード所属のヘンリーニーランド号に虎吉と吉三郎が乗船し、ニムロッド号に市蔵、吉三郎、佐蔵が乗船してそれぞれ別々にホノルルまで連れて来られたという事だった。しばらく3週間ほど経ってから、ここホノルルで中国に向かう船に乗り換えて、中国を経由し日本へ帰国する予定だった。そして、たまた

まホノルル港に立ち寄ったコピア号が中国に行く予定なので紀州出身の虎吉たち日本人は便乗させてもらえることになった。

その話を聞いて伝蔵は、閃《ひらめ》いた。そして、彼らと一緒に日本に帰ろうと五右衛門と万次郎に提案すると、2人ともその話に迷わず同意した。万次郎は、早速コピア号のニューアル船長に掛け合って乗船の許可を取り付けようと頼んだところすぐに承諾してくれた。それを聞いた紀州の船頭・寅吉も喜びお互い励ましあった。おしゃべりの中で、伝蔵の話だったが、以前にも日本人二人が漂流してこのホノルルにたどり着いた事があった。思いがけないところで知り合いとなり、一緒に日本に帰ろうと約束したが船長との交渉がうまくいかず自分たちは帰国を果たせなかったという話をみんなに聞かした。そして、今度こそは帰国の思いを果たしたいと語った。これを聞いた紀州の船頭は、伝蔵が話した漂流者のことを知っており、その後、彼らは、日本に帰国して成功しているらしいと語ってくれた。この時期でも幾人かの日本人漂流者がアメリカの商船や捕鯨船に救助されている事例があり、尚且つ無事に日本へ帰国した事例があることは万次郎らを勇気づける情報だった。つまり、鎖国の禁を犯したにもかかわらず漂流者が死刑になっていないという情報だったからだ。

万次郎は、乗船予定のコピア号の鯨油樽が何個か壊れていることに気付き、それらを修理することになった。ニューアル船長は次々と壊れた樽を出して修理を命じた。ところが船長の態度に謙虚さがなく、まるで奴隷扱いのような口ぶりだったので万次郎は怒り、失礼であると責めた。修理代についても船長と悶着が起こり、激論の末に万次郎の乗船が拒否される事態となった。万次郎は、この件を白人が万次郎を黄色人ということで差別していると考え、万次郎の人種差別に対する嫌悪感がありありと現れ抗議したのである。

かつて、ホイットフィールド船長がそれまで通っていた教会に万次郎を一緒に連れて行くと、牧師に「万次郎だけは、白人家族席から黒人専用席に移ってもらうように」と言われたことがあった。船長はその差別的行為に怒り、同じキリスト教でも別の教義を持つユニテリアン教会へ変えるという事態になった。その時の船長の影響なのだろうか。10年近くもアメリカで生活していた万次郎も船長と同じように人種差別に反対し、人は平等であるべきで、同時に人権を尊重すべきであるとの意識が芽生えていた。

だからこそ、相手が誰であろうがアメリカ合衆国憲法の基本的な考え方から外れた間違いを、たとえ「乗船させない」と言われても万次郎は自分の考えを曲げなかった。万

次郎は、アメリカで生活した日本人だったが身に染みて民主主義の考え方も理解できる人間に成長していた。そして、問題解決も合理的で論理的に考える習慣を異国アメリカで体得していたのだ。ちなみに、帰国するときに、万次郎は、「アメリカ独立宣言」、「アメリカ合衆国憲法」の基本的考え方が根底にあるアメリカ合衆国大統領制度にも興味を持ち『ジョージ・ワシントン伝記』も日本に土産として持ち帰っている。その本意は、封建社会の日本にアメリカの民主主義社会が何であるのかを紹介したかったのだろう。

ニューアル船長に乗船拒否されると、伝蔵は「万次郎ひとりを残して自分たちだけ乗船して帰国するわけにはいかない」と判断し、ニューアル船長に説明し、「紀州の人たちをよろしく頼む」と別れの挨拶をした。紀州の5人もその話を残念がり、彼らも船長に懇願したのだが頑固にも聞く耳を持たず拒否された。日本での再会を約束して12月7日コピア号は、香港に向けてホノルル港を出航した。

3人の日本への帰国計画は、振り出しに戻ってしまった。デーモン牧師にそのことを説明し、新たに計画を練り直しながら港に入ってくる船を待つしか無かった。デーモン牧師発行のフレンド紙の記事で日本近海で起こっている事件や事故についてのニュース

も日々多くなっていた。

フレンド紙に「日本で囚人として牢獄にいたアメリカ人をプレブル号が救出」のタイトルで記事が掲載されている。日本が人権も尊重しない酷《ひど》い国であると酷評され、アメリカ議会の怒りと猛反発をくらっていたのがこの時期である。

それ以外には、1850年8月にアメリカ商船のマーリン号が琉球の那覇の港に入港して船の修理をしてもらったニュースを後日、フレンド紙に載せている。マーリン号は、船の修理を終えるとカリフォルニアに帰る途中に石炭燃料の補給をするためにホノルルに寄った。その時に、ウェルチ船長は、デーモン牧師に会って琉球人が取った行動や振舞いなどの情報を提供したのである。それは、万次郎が4ヶ月前のまだカリフォルニアの暑い山中の金鉱で金の採掘をしていたときに起こった琉球での出来事であった。

23　マーリン号・ウェルチ船長からの情報

船の名は、アメリカ商船マーリン号で船長の名は、ゲオ・ウェルチと呼ばれた。その船は、カリフォルニアと中国の上海を行き来する主に茶を輸入する商船だった。そのころの琉球王国には、アヘン戦争後イギリスとフランスの船が出入りしており、そこにアメリカの捕鯨船や商船も食料の補給や船の修理を理由に那覇の港に停泊することが時々起こっていた。アメリカ商船のマーリン号もその類《たぐい》の異国船であった。日本近海で勢力の強い台風に遭遇し、リーフに船の舷《ふなべり》をこすり穴を開けた。海水が入り込み沈むのではないかと思うほどにダメージを受けていた。その後も南下しながら幾つかの島を通り過ぎてきたが異国船を受け入れるような場所がなく、ついには、琉球の海に入って来た。琉球人については、バジル・ホールの琉球航海記などの情報で、賢い人達が多い上に親切な人たちが住んでいることを知らされていた。その時、海上から船の避難できそうな

場所を見つけたのでここなら間違いなく船の修理ができるだろうと確信した。それが琉球国の那覇の港であった。

ウェルチ船長は、早速、船の修理を依頼し、修理をしている間、那覇の街を散歩することにした。すると、琉球の役人も親切で籠《かご》に乗せてもらい、街中を散策しながら庶民の住宅や寺を案内してくれた。その時に、偶然にもイギリス人宣教師ベッテルハイムと遭遇し雑談をすることができた。ベッテルハイムは、もう5年もこの琉球に住んでおり、イギリスの英国海軍伝道会から派遣された牧師であることも分かった。しかし、琉球王府からは宣教活動を厳しく禁止されていた。庶民に布教活動でもしようなら役人によって徹底的に邪魔されていることも聞かされた。しかし、王府は、それでもベッテルハイムに対して生活に必要な物資は提供し続けていることもわかった。おそらく、ウェルチ船長は、その時にベッテルハイムから琉球と薩摩の関係についてもいろいろと話を聞くことができた。

そのひとつが琉球王国は、薩摩藩に実質的に支配され、薩摩への年貢を納めなければならないこと、薩摩からの定期船が、琉球から年貢を取り立てるために毎年2月に薩摩を出港し、那覇港で年貢の荷物を乗せ、その年の6月に薩摩に戻るという情報も聞いて

いた。ウェルチ船長は、船の修理が終わると琉球の役人に船の修理をしてくれたことに感謝の言葉を述べたこともデーモン牧師にハワイで情報として提供しているのだ。

ウェルチ船長は、船の修理代についてデーモン牧師に、「同様の船の修理をほかの国でさせるとすれば千ドル以上はするだろうが、琉球ではたったの10ドル以内で修理してくれた」ということも述べている。

ちなみに、ウェルチ船長とベッテルハイムが話した中で薩摩と琉球の歴史的な関係であったり、薩摩の和船が定期的に琉球との間を往復することは、当時は琉球内部だけの情報として扱われていたはずである。しかし、外国であるハワイの新聞に琉球の情報が詳細に掲載されていることは驚きである。琉球王府と薩摩藩は、ベッテルハイムが琉球に滞在していることを幕府にさえ秘密にしていたにも関わらず、ハワイの「ザ・フレンド」紙にベッテルハイムの名前と琉球と薩摩を航行する定期船のことがウェルチ船長を通してハワイに情報として流れていたという事実である。ベッテルハイムは、その時、琉球に来て5年しかたっていない。琉球語、日本語が流暢に話せないにも関わらず、秘密にしていた情報が簡単にベッテルハイムからウェルチ船長の耳に入った。

だれが琉球と薩摩の関係、薩摩の定期船のことをベッテルハイムに教えていたのだろ

うか。そこで、考えられるのがベッテルハイムの監視係で英語を得意とする通詞の板良敷朝忠の存在である。朝忠は、万次郎らが小渡海岸に上陸した翌日、豊見城間切の翁長村で取り調べをした同一人物の役人である。

イギリス人のバジル・ホールらが琉球測量をした際に、琉球への感謝の気持ちを形として表すために英国海軍伝道会を結成し、その結果として、ベッテルハイムを派遣したのだが、当然に鎖国政策もあり琉球王府が上陸を拒否したにも関わらずベッテルハイムは、本船から手漕ぎボートに乗り換えて強行に那覇に上陸した経緯があった。そのベッテルハイムの世話役になったのが琉球王府役人の板良敷朝忠であった。王府は、那覇の西海岸の「波の上」にある護国寺をベッテルハイムの生活の場として提供し、妻のエリザベス、子供2人の家族を滞在させていた。その世話役として当てられた朝忠は、王府からの伝達などベッテルハイム家族と接触する機会が多かった。すると、朝忠は、ベッテルハイムに日本語と琉球語も教えながら、逆に英語を教えてもらっていた。また、ベッテルハイムは、医者でもあったので朝忠の家族の中で体調が悪かったり、目や耳に痛みがあったりすると医師・ベッテルハイムの世話になっていたという間柄でもあった。そのような身近な関係の中で、朝忠から琉球語を学び、歴史を学び、薩摩と琉球の

関係も普段の生活の中で話題となり話されていたのだろう。それからすると、これらの情報は、琉球王府の通詞板良敷朝忠からイギリス人宣教師のベッテルハイムへ流れ、そして、ベッテルハイムからウェルチ船長へ、ウェルチ船長からデーモン牧師へ、デーモン牧師から万次郎へと伝わっていたことになる。その繋がりから考えると「ザ・フレンド」紙に書かれた琉球の記事が載っている事実についても容易に理解ができる。

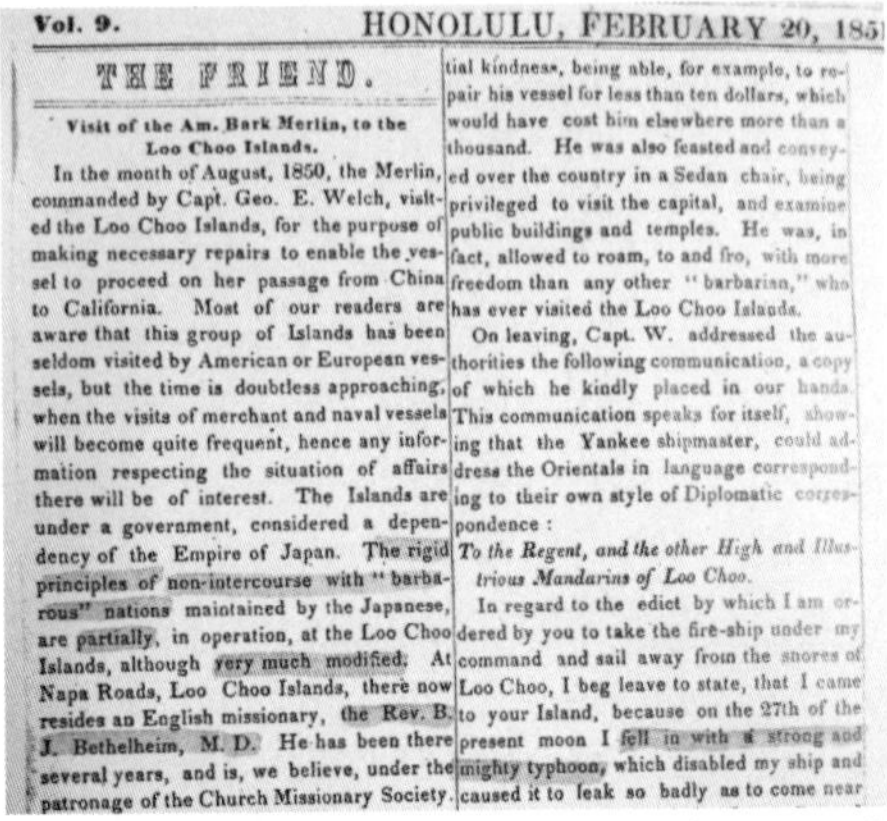

Vol. 9. HONOLULU, FEBRUARY 20, 185

THE FRIEND.

Visit of the Am. Bark Merlin, to the Loo Choo Islands.

In the month of August, 1850, the Merlin, commanded by Capt. Geo. E. Welch, visited the Loo Choo Islands, for the purpose of making necessary repairs to enable the vessel to proceed on her passage from China to California. Most of our readers are aware that this group of Islands has been seldom visited by American or European vessels, but the time is doubtless approaching, when the visits of merchant and naval vessels will become quite frequent, hence any information respecting the situation of affairs there will be of interest. The Islands are under a government, considered a dependency of the Empire of Japan. The rigid principles of non-intercourse with "barbarous" nations maintained by the Japanese, are partially, in operation, at the Loo Choo Islands, although very much modified. At Napa Roads, Loo Choo Islands, there now resides an English missionary, the Rev. B. J. Bethelheim, M. D. He has been there several years, and is, we believe, under the patronage of the Church Missionary Society.

tial kindness, being able, for example, to repair his vessel for less than ten dollars, which would have cost him elsewhere more than a thousand. He was also feasted and conveyed over the country in a Sedan chair, being privileged to visit the capital, and examine public buildings and temples. He was, in fact, allowed to roam, to and fro, with more freedom than any other "barbarian," who has ever visited the Loo Choo Islands.

On leaving, Capt. W. addressed the authorities the following communication, a copy of which he kindly placed in our hands. This communication speaks for itself, showing that the Yankee shipmaster, could address the Orientals in language corresponding to their own style of Diplomatic correspondence:

To the Regent, and the other High and Illustrious Mandarins of Loo Choo.

In regard to the edict by which I am ordered by you to take the fire-ship under my command and sail away from the shores of Loo Choo, I beg leave to state, that I came to your Island, because on the 27th of the present moon I fell in with a strong and mighty typhoon, which disabled my ship and caused it to leak so badly as to come near

ウェルチ船長とベッテルハイムが那覇で遭遇したという記述のある「THE FRIEND」紙

その時にベッテルハイムが得たそれらの情報は、日常茶飯事の那覇の港で起こっている光景であった。「琉球の極秘情報」と言うよりも普通の生活の出来事としてベッテルハイムが見たものをそのままにウェルチ船長に話しただけの日常的なおしゃべりだったことになる。

そこで、万次郎らにとって、このウェルチ船長の情報から学ぶべきものは何だったのだろう。日本本土で起こったラゴダ号事件、モリソン号事件は、新聞のニュースとしてデーモン牧

師も万次郎もすでに知り尽くしていた。そのような社会情勢のニュースから見えたのは、「直接に本土上陸することは危険だ」という事であった。しかし、琉球においては、アメリカ船が台風で傷ついた船の修理を親切に受け入れたその情報からすると、「琉球は、より安全に上陸できそうだ」という事を示唆していたことになる。しかも、琉球と薩摩の間に定期船が行き来している情報は、その定期船で日本に上陸することも可能性としてある。しかも安全性、確実性からして琉球を足掛かりにして日本上陸するのが総合的に最善の方法だとデーモン牧師と万次郎は分析したのだ。

デーモン牧師は、万次郎の立場をよく理解していた。帰国するために必要な問題や課題をひとつひとつ紐解《ひもと》きながら、問題を解決すべく良き相談相手になろうとしてくれた。聖職者としても、いろいろアドバイスするのだが、万次郎は帰国できるチャンスさえ整えば、琉球上陸計画を絶対に成功させる自信があると言っている。

琉球から日本本土の薩摩へ定期船があるならば、中国を経由するよりも、琉球に接近した時に本船から捕鯨ボートを降ろしてもらい漕いで上陸した方が良いと万次郎は思った。フランクリン号でマンピゴミレに上陸した時も捕鯨ボートを使った。しかし、その時は沖合に本船があったので島の役人に早く本船へ帰れと言われた。もし沖合に本船が

なければ役人たちは致し方なく上陸させるだろうと考えたのだ。そして、デーモン牧師は、万次郎の思いを理解すると、これが万次郎の強い意志であること、そして、最終的に日本に帰ることを決断していること、それに対して協力する以外ないと思った。

デーモン牧師は、万次郎の気持ちを理解すると計画を成功させるために何がほしいのか、何をしてほしいのかと尋ねた。すると、万次郎はその答えをすでに考えていたのだろう。「頑丈な捕鯨ボートが欲しい、それから、かなり立派な航海用の六分儀とコンパス、樽にいれた食糧、十分な量の飲み水が必要です」と即答してくれた。そのうちの幾つかはすでに準備されていたが、日本の近海まで日本人を便乗させてくれる大型船を探すことも重要なことだった。しかし、この計画を実施するために全てを揃えるとなると予算が十分でないことがわかってきた。そこで、デーモン牧師はやさしく万次郎に「どんなことでも手伝う努力だけはしてあげる」と約束してくれた。そして、「ザ・フレンド」紙に次のような記事を載せてくれたのだ。

「市民の皆さんもすでに遭難した日本人がここハワイにいることは知っていると思います。1841年にホイットフィールド船長が連れてきた5人のことです。その

中の一人ジョン・マンは、船長と一緒にアメリカ本国に渡り、公立学校で教育を受けて、樽の作り方も覚えました。その彼が、この島に戻り遭難した仲間と一緒に日本へ帰ろうとしています。それを成功させるために必要な装備として、コンパス、衣料品、靴、1850年の年鑑の航海術本を必要としています。慈悲深い人でこのプロジェクトを支援してもらえる人はいませんか？　なお、物資は、寄付者が責任をもって配達していただきたくお願いします」

すると、反応は素早く、物惜しみしない物資の支援があった。中には、中古の海事器具やナサニエル・ボーディッチ著の『新アメリカ実用航海術』の寄付もあった。その本は、マサチューセッツ州のバートレット学校で夢中になって読んだ航海術の教科書と同じ本であった。「遠征基金」として募ったところ160ドルも集まり、すでに持っていた予算に加えて、中古の捕鯨ボートを買い整えようとした。幸いに、デーモン牧師の斡旋《あっせん》でイギリス人が買い受けた中古の捕鯨ボートとその船具一式を125ドルで買うことができた。万次郎のイメージとして上陸直前にボートを本船から降ろすと、岸までたどり着くのに人力だけで漕いでいくのは厳しいと考え、帆のついたボートに改造する必

要があると思っていた。そこで、帆と舵《かじ》と櫂《かい》の船具一切を購入した。伝蔵と五右衛門も一緒に日本に帰れる現実を噛みしめながらボートの改造作業に取り掛かった。やっとひと通りの修理と改造作業が終わった。次はボートに名前を付けることになり、ボートを斡旋してくれたデーモン牧師が、ボートの名前を冒険家を意味する「アドベンチャラー号」と名付けてくれた。3人は喜んで同意した。デーモン牧師は、1849年10月1日「ザ・フレンド」紙にアメリカの捕鯨船員ラナウド・マクドナルドが日本の北海道・蝦夷にひとりで捕鯨ボートに乗り上陸した事件を掲載している。その中でマクドナルドを「冒険者」として扱ったので万次郎たちの捕鯨ボートもそれに倣《なら》って「冒険者」、つまり「アドベンチャラー」号と名付けたようだ。まさにこれから命を懸けた冒険が始まろうとしていたのだから3人ともその名前に満足した。あとは、最後の頼みである日本近海に近づいてくれる船便を待つのみであった。

デーモン牧師と万次郎は、これまでの情報を整理整頓しながら一つの帰国計画のシナリオを作ろうとしていた。ウェルチ船長の経験から琉球人が寛大であり親切だったという事実と琉球は江戸幕府、薩摩藩の支配を受けてはいるが一つの独立した王国であることと、そして、日本本土よりも警護が厳しくないことを考えると琉球を足掛かりにして本

土に上陸することが最善であろうと考えた。そして、何よりも薩摩からの和船が2月に琉球に向かって出発し、那覇の港で貢物を乗せると6月には薩摩に帰るという定期船があるということが決め手となり琉球を目指すことで二人とも意見が一致した。琉球近海で本船から降ろしてもらい捕鯨ボートで岸に上陸するシナリオができた。そのシナリオこそが日本本土へ上陸するため、琉球をステップとする琉球上陸の真実なのだろう。

万次郎とデーモン牧師は、早速、琉球近海を航海する商船をターゲットにホノルル港に寄港する船を探すことにした。そして、奇跡はすぐに起こった。万次郎がコピア号に乗船を断られて約2週間が過ぎていた。そのコピア号が香港に向け出港した翌日、1850年12月8日に上海に行く茶積船サラ・ボイド号がサンフランシスコから21日間をかけてホノルルの港に入港してきたのだ。船長の名前は、ホイットモア船長で、その船は琉球近海を航行すると聞いたのである。そこで万次郎は、デーモン牧師に助けを求め、うまく交渉できるように依頼したところデーモン牧師は快諾してくれた。早速、伝蔵と五右衛門も含め、万次郎も一緒に船の甲板に上って総責任者のホイットモア船長に会った。そこで、上海への航行途中で、琉球近海まで乗船させてもらえるように頼んだ。琉球の近海は、サンゴ礁でできたリーフがあるので本船を接岸するのは無理だとわかっ

ていた。そこで、琉球近海に着くと、捕鯨ボートのアドベンチャラー号を本船から降ろしてもらい、そこから自力でボートを漕いで岸へ向かう予定である事も説明した。船長は、その日本人たちに同情している様子だったがやはり琉球に着いたときに琉球側が彼らを受けいれてくれるのかどうか懐疑的だった。そして、船長は、日本近海での外国船に対するネガティブな事件を例に話をして警告してくれた。しかし、デーモン牧師の執ような頼みもあって船長は、ついに万次郎たちの乗船を承諾してくれた。そして、船長は12月17日には出航することを明言して万次郎たちに出発の準備をするように指示した。

出発を前にデーモン牧師は、ホノルルの米国領事に頼んで、正式な領事からの証明書を1850年12月13日付けで出してもらった。内容は、万次郎が漂流してからアメリカを巡ってホノルルに至るまでの経緯が書いてあった。日本政府に対してアメリカ政府が万次郎たちの身分を証明したアメリカ発行のパスポートである。

万次郎は、日本に帰るに当たってひとつだけ気になっていることがあった。それは、ホイットフィールド船長に日本に帰る資金を作るためにカリフォルニアの金鉱に行くことの承諾は得ていたが、そのままカリフォルニアから日本に帰国するような話はお互いの間で話し合われていなかったのだ。もちろん、それは万次郎の当初からの計画でもな

かったし、船長もそこまでは想定していなかったからだ。万次郎はこれまでの経過とそのままハワイから日本へ帰国することの許しも得たくてホイットフィールド船長に手紙を書くことにした。

「私の幼少のころから大人になるまで育てて下さったご慈愛は、決して忘れることはございません。そのご親切に対して今までに何も恩返しをしておりません。それなのに、今、私は伝蔵と五右衛門と共に帰国しようとしています。御恩返しもしないで、このまま帰国する不義理は許されることではありませんが、しかし、世の中は、いい方向に変わっていきつつあるので、私たちはいつかまたお会いできることを信じております。置いてきた金や銀、また、私の衣類は有用になるようにどうぞお使いください。私の本や文具はどうぞ私の友人にお分け下されたくお願い申し上げます。

ジョン・マン」

万次郎は、これで十分ではないが心置きなく日本に帰れると思い少しは気が楽になった。それから、寅右衛門が一緒に帰国できないのは残念だったが、議論も出尽くしお互

い話し合って、彼は妻と一緒にハワイに残る選択をしたのだから仕方がないことだと思うようにした。

また、五右衛門にも地元ハワイアンの妻がいたのだが、帰国計画について妻に反対されることを恐れてずっと内緒にしていた。出航前に五右衛門は、ついにそのことを妻に話さなければならない時が来たと思った。万次郎も同席して五右衛門は、これまでの経過と自分の思いを正直に妻に語った。すると、夫人は、「あなたがいつか日本に帰る夢を果たすだろうという事は覚悟していました」五右衛門は、それを聞いて驚いた。そして、「その時が来たらそれを受け入れてあなたを見送る覚悟もできています」と妻は付け加えて言った。万次郎は、その言葉を聞いて心が熱くなり、2人だけを残してその場を去った。

出発の日が来た。最初は3人でアドベンチャラー号をサラ・ボイド号に乗せてから、次に土産や荷物を本船に乗せた。いよいよ出発となると、3人とも家族や友人たちとの涙の別れがあった。そして、サラ・ボイド号は、琉球近海を通り、最終目的地の上海に向かうため予定通りに1850年12月17日にホノルルを出航したのである。

デーモン牧師は、万次郎たちがホノルル港から琉球に向けて出発した後に、「ザ・フ

レンド」紙に掲載している。1851年1月9日の「ザ・フレンド」の紙上で「日本遠征」と題してトップ記事として取り上げた。ジョン・マンがホノルルを出航してから3週間後に「万次郎は、琉球と薩摩の関係もすべて知りつくした上で琉球に向かった」と「ザ・フレンド」紙に掲載されているのだ。

その記事には、「ホイットモア船長は、万次郎たちを琉球の近くの近海で降ろすだろう。そして、彼らは、ハワイで買った捕鯨ボートと帆と櫂を使って、そして、アメリカで学んだ科学的航海術を駆使して4分儀やコンパスや図を巧みに実用的に使いこなすだろう。サラ・ボイド号は、琉球に近づいたときにアンカーを降ろさず、万次郎たちは、捕鯨ボートを漕いで琉球に上陸することになるだろう。それでも琉球からだとまだまだ故郷の土佐までは距離がある。しかし、ジョン・マン、いや敢えてジョン・マン船長と呼ぶことにするが、彼は、琉球と日本本土との関係及び日本への航路もよく熟知している。彼が言うには、『年に1回薩摩から和船が琉球に向けて出港し、琉球で年貢を取り立てる。その貢物を運ぶために2月に薩摩を出発し、6月にはそれを積んで薩摩に戻ってくる。』と言うのだ。そして、その船に乗って日本本土に帰れるかもしれない。遅かれ早かれ、彼らは、やるしかないだろう。私たちは、ジョン・マン船長の遠征の成功を

心配しながら待つしかない。彼は、賢く知的な若い男だ。そして、彼はこのいい機会を逃しはしなかった。彼は、英語を話すことも書くこともほぼ正確にできる。彼が無事に生まれ故郷に帰ることが成功すると、彼は、開国のために日本と外国の間で重要な外交の仕事に努めることだろう。そして、彼は、イギリス人或いはアメリカ人にとって素晴らしい通訳者になることだろう。捕鯨ボートのアドベンチャラー号を指揮するジョン・マン船長の成功を祈る。」と大きく掲載されている。

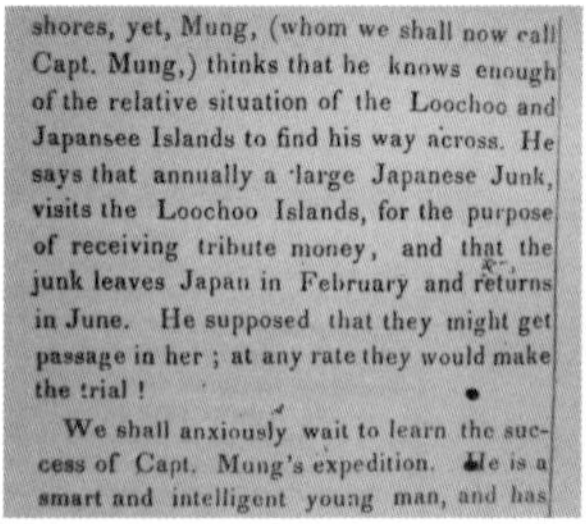

shores, yet, Mung, (whom we shall now call Capt. Mung,) thinks that he knows enough of the relative situation of the Loochoo and Japansee Islands to find his way across. He says that annually a large Japanese Junk, visits the Loochoo Islands, for the purpose of receiving tribute money, and that the junk leaves Japan in February and returns in June. He supposed that they might get passage in her; at any rate they would make the trial!

We shall anxiously wait to learn the success of Capt. Mung's expedition. He is a smart and intelligent young man, and has

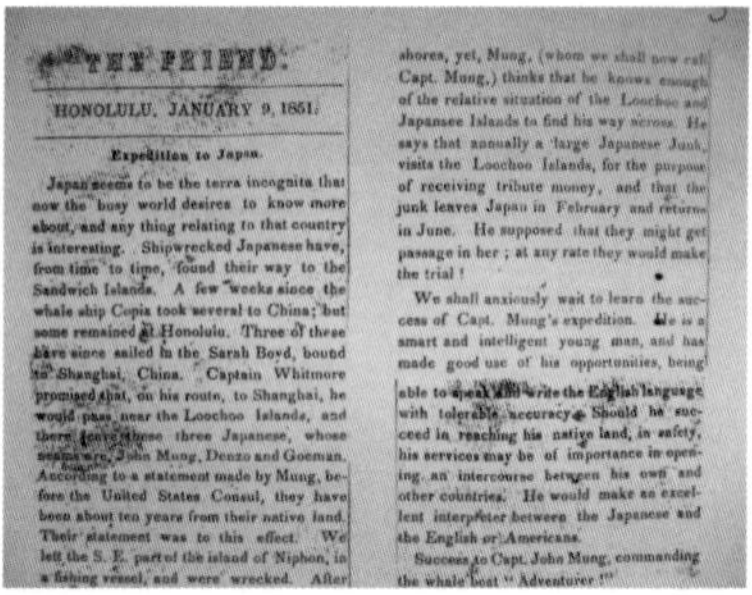

THE FRIEND.

HONOLULU, JANUARY 9, 1851.

Expedition to Japan.

Japan seems to be the terra incognita that now the busy world desires to know more about, and any thing relating to that country is interesting. Shipwrecked Japanese have, from time to time, found their way to the Sandwich Islands. A few weeks since the whale ship Copia took several to China; but some remained at Honolulu. Three of these have since sailed in the Sarah Boyd, bound to Shanghai, China. Captain Whitmore promised that, on his route, to Shanghai, he would pass near the Loochoo Islands, and there leave these three Japanese, whose names were, John Mung, Denzo and Goeman. According to a statement made by Mung, before the United States Consul, they have been about ten years from their native land. Their statement was to this effect. We left the S. E. part of the island of Niphon, in a fishing vessel, and were wrecked. After

shores, yet, Mung, (whom we shall now call Capt. Mung,) thinks that he knows enough of the relative situation of the Loochoo and Japansee Islands to find his way across. He says that annually a large Japanese Junk, visits the Loochoo Islands, for the purpose of receiving tribute money, and that the junk leaves Japan in February and returns in June. He supposed that they might get passage in her; at any rate they would make the trial!

We shall anxiously wait to learn the success of Capt. Mung's expedition. He is a smart and intelligent young man, and has made good use of his opportunities, being able to speak and write the English language with tolerable accuracy. Should he succeed in reaching his native land, in safety, his services may be of importance in opening an intercourse between his own and other countries. He would make an excellent interpreter between the Japanese and the English or Americans.

Success to Capt. John Mung, commanding the whale boat "Adventurer!"

万次郎らがハワイ出発後に掲載された「日本探検」というタイトルの記事(右)と「薩摩と琉球を往復する定期船を万次郎は十分知っていた」と記された記事(左)(THE FRIEND紙より)

24　サラ・ボイド号

ホノルルを出たサラ・ボイド号は、風の都合で赤道を超えて南南西の方角に向かい約4千キロを南下し、ポリネシア人の住むサモア諸島を右に進路を変え北西に直進すると8千キロの距離に中国の上海に至るコースをとった。その時に沖縄本島南部と久米島の間を通り抜けて上海に到着するのである。ホノルルを出航してサモア、ミクロネシア、北マリアナ諸島そして琉球までの航海距離の約1万2千キロを航行する48日間の航海であった。

ホイットモア船長は、琉球に近づいてくると万次郎との乗船契約を再度確認した。船長は、ホノルルから上海までの航海は、乗組員が少ないので上海までは万次郎だけ船上で仕事をしてもらう、ただし琉球近海に着くと伝蔵と五右衛門だけをボートで降ろし上陸させるという約束だった。船長は、気になって、万次郎に「約束通り上海まで一緒に

行ってくれるか」と聞くと「あの二人を琉球に降ろしたら一緒に上海まで行く」と答えてくれたので安心した。

そうこうしながら琉球近海に近づいてきた。万次郎から、船長との約束のことを初めて聞いた伝蔵と五右衛門は驚き「万次郎を残して二人だけ上陸するのは儀に欠ける。自分たちも一緒に上海に行く」と言い出した。すると、船長は、「日本に帰ると鎖国の禁を犯した罪で死刑になると聞いているので、帰国を思い留めて、3人とも上海からアメリカに帰りなさい」とも薦めた。しかし、万次郎は、「ご親切は決して忘れません。あの方向には私の母がおります」と右手人差し指で北の方向を指さした。そして、「ここまで来て、引き返すのは人の子としての道ではありません。死はもとより覚悟の上です」と言った。その言葉を聞いて、船長は、万次郎の母への愛の深さを感じ取り、「琉球も近くなったので下りる準備をしなさい。誰も上海まで行く必要はない。乗組員の不足は我々でどうにかする。伝蔵と五右衛門だけでは日本に帰ることができない、私としては残念だが万次郎も彼ら2人と一緒に帰ってもらうことにする」と言ってくれた。やがて、船はくっきりと琉球の島の陸地が見えるところまで来たが、徐々に強くなる風が北からの向かい風になって船をさらに陸の近くまで近づけることができない。それで、

沖合で風の静まるのを待つことにした。

翌日、2月2日で、琉球の暦では、旧暦1月2日の旧正月2日目を迎えていた。ようやく、風も昨日よりは穏《おだ》やかになってきたので、正午には陸地から10キロばかりの距離に達した。船長は、陸地もまじかになったので本船を停めてボートを下す準備を指示した。船長は、本船をコースから外してボートが陸まで少しでも楽に行けるように近づけようとした。船を降りる前に船長は、親切に十分な食料と海図を万次郎に渡した。

かくして、伝蔵、五右衛門、そして万次郎は、ホイットモア船長をはじめ、乗組員に礼を言って別れを告げ、積んできたアドベンチャラー号を降ろして乗り移ると午後2時に本船を離れた。いよいよ琉球上陸である。

万次郎は、船長に別れを告げた後で、「自分たちが上陸する前に本船をこの場から離れ上海に向けて去ってほしい」とも言っている。それは、琉球の「マンピゴミレ（伊平屋・伊是名諸島）」に上陸した時、役人たちから牛2頭をもらい受けた時に、「すぐに本船に戻れ」と急かされたことがあった。もしこのタイミングで上陸した時にそのまま本船が沖合にあるならば、同様に薩摩の役人に「本船に戻れ」と言われるかもしれない。もし本船がなければ役人たちは、致《いた》し方《かた》なく自分たちを受け入れるだろうと思ったから

である。その通りに、サラ・ボイド号は、間もなく元のコースに戻り北西に向かって予定通りのコースを進んで琉球の沖合から消えていった。

そして、万次郎たちは、潮が満潮に向かう上げ潮に乗って午後2時から漕ぎ始めた。やがて夕暮れの中を、そして夜になっても向かい風で思うように進まず、新月で月の明かりもない真っ暗な深夜の海を漕ぎ続けた。午前2時ころにリーフの近くまで来た。そして、アドベンチャラー号を波のある向岸流を避けて、波のない離岸流の流れる岸のポイントに錨《いかり》を掛けることができた。そのお陰でボートはリーフにぶつけられることもなく、錨とボートは潮の流れでロープの長さ分一定の距離を保ち、万次郎たちは朝までぐっすり眠ることができたのである。

第6章　取り調べ

25　板良敷朝忠と『ジョージ・ワシントン伝記』

豊見城間切の翁長村で、通詞の板良敷朝忠によって、英語での聞き取り調査の全てが終わろうとしていた。結構な長い時間がかかった。万次郎は、土佐の足摺岬沖合で漂流して、アメリカ捕鯨船に救助されたところから、アメリカでの生活、捕鯨船での体験、帰国するために金鉱に入って資金作り、そして、ハワイで仲間と合流し、共に琉球の小渡浜に着いたところまで延々と語った。そして、最後に、万次郎は、生まれ故郷の土佐に帰り心配している家族に会いたいと思いを込めて語った。

通詞の朝忠にとって行ったことのないアメリカの壮大な万次郎の冒険は、聞きごたえがあった。そして、時に若い頃に中国に留学した経験を思い出させてくれた。全ての聞き取りが終わり、万次郎がアメリカから持ち帰った所持品のチェックという事で、道具の名前とその使い方や本などの説明を万次郎に頼み、ひとつひとつ手に取りながら興

味深く聞き入った。その時に、朝忠がひときわ興味を持ったのが万次郎が持ってきた『ジョージ・ワシントン伝記』だった。朝忠は、万次郎にその本について質問をするのだが、琉球国と中国の封建社会の中で生まれ育った朝忠にとってアメリカの民主主義社会を理解するのは難しかった。本の中で「大統領は、国民の選挙で選ばれる」とか「任期が4年で、国民の支持があれば更に4年は国のリーダーとして務めることができる」という意味するものがすんなりと吸収できるものではなかった。しかし、これからの時代は、欧米の社会がアジアに大きな影響を与えるだろうと朝忠は感じていただけに、余計に興味をそそる本ではあった。そこで、しばらくその本を借りてでも読んでみたいと思った。幸いに、朝忠は、イギリス人宣教師のベッテルハイムの世話係の役職にあったので、本の理解できない部分は彼に聞くことができるのだ。朝忠は、波の上の護国寺に住むベッテルハイムを仕事として訪ねては、その合間に『ジョージ・ワシントン伝記』の英語文を日本語に翻訳してアメリカの社会体制を理解しようとした。

本には、アメリカ合衆国初代大統領ジョージ・ワシントンの生い立ちから書かれていた。1732年2月にバージニア州に生まれ、ワシントン一家は大規模農園を営んでおり、ジョージ・ワシントンも16歳の頃から農園主としての経歴を積み始め

た。青年期に測量を学んでいたため、測量士としての仕事もした。22歳にバージニア市民軍の大佐に任命され、26歳に軍隊の現役から退き、その後の16年間を農園主や政治家として過ごした。ワシントンが再び軍人として活躍するのはアメリカ独立戦争の頃であり、イギリス本国を相手にアメリカ東部沿岸のイギリス領の13州の司令官として戦った。

ワシントンが57歳になった時に、アメリカ合衆国憲法の基本的理念は「全ての人間は、生きる権利、自由の権利、幸福の追求の権利をもってこの世に生まれてきた」と謳っている。1776年にイギリスから独立したアメリカ合衆国は、中央集権的な新しい国家憲章をフィラデルフィア憲法制定会議において中央政府の権限を強化した合衆国憲法として制定した。合衆国憲法には元首であり、中央政府の代表として大統領を選挙で選出することを規定したため、1789年にアメリカで初めての大統領選挙を実施することになった。その選挙にワシントンも立候補してアメリカ最初の大統領選挙で大勝利した。その結果、ワシントンは、初代アメリカ合衆国大統領に就任したのである。任期が1期4年と定められていたが、ワシントンは、1789年4月30日から1797年3月4日までの2期8年間を務めた。それだけ、アメリカ合衆国の初代

大統領として知られるワシントンは、アメリカの政治家・軍人として人気と実力を兼ね備えていたということである。因みにアメリカの大統領は、いかなる理由があっても最長2期までしか就任できないことになっている。

更に朝忠は、アメリカの民主主義では、国民主権であり、国で一番偉いのが国民であるということ、その国民のリーダーを決めるのは国民一人一人が選挙で決めるということを知ることができた。その点、当時の日本は、戦《いくさ》で勝った大将が国の実質的なリーダーとしての将軍となり、そして次の将軍を選ぶ権利を持っているのは、民ではなく将軍の意思で決め、ほとんどが我が子から次の将軍を指名した。アメリカと日本とのリーダーの決め方が違うという事も、朝忠は何となく理解できた。つまり、アメリカのリーダーは、常に国民主権主義の考え方を持ち、国民のためになることを最優先させて政治を行うものである。そして、人権は「人間の尊厳」に基づく権利であって尊重されるべきものであると理解したにちがいない。

朝忠は、取り調べで『ジョージ・ワシントン伝記』以外にも万次郎が持参してきた本にボーディッチの『実用航海術書』があることも確認をしていた。しかし、その航海術の本には、いろんな記号や数字が並び異次元の世界に見えてとても難しそうだったので

あまり興味を示さなかったようだ。

　万次郎たちの豊見城間切・翁長村での幽閉生活もついに終わりに近づこうとしていた。薩摩の和船が貢物を積み込んで那覇の港から出航する頃で、万次郎は、ハワイで計画した帰国シナリオからするとそろそろ薩摩行きの和船が那覇から出航する時期だろうと思っていた。1851年7月11日、薩摩の7人の役人が、2人の槍持ちを従えて翁長村に馬に乗って来た。そして、万次郎たちを那覇に輸送するので、すぐに準備せよとの通達があった。万次郎たちは、急いで新しい衣服に着替えて、琉球王から特別に籠《かご》も準備され、出発しなければならなかった。翁長村に着いてから158日目にして村を離れることになり、村人たちが徳門家まで来て、涙を流し別れを惜しんで送ってくれた。

　6月ウマチーの綱引きや青年たちの毛遊びで仲良くなり、思えばウチナー口の方言まで教えてくれた村の青年たちに多くのことを教えてもらった。特に、印象的な言葉として、「イチャリバチョーデー」で将に家族、兄弟並みに世話してもらったこと、相手を思いやる「チムグクル」で持て成しされた、人としての優しさを多く教わった。

　万次郎は、これまで世話をしてくれた徳門家のペーチンを始め、家族に記念として何か特別なものを贈りたかったが、突飛のことでもあったので何の準備もできてなかっ

た。そこで摩文仁番所を出発して途中で杖に使える形の良い棒を杖代わりに使ってここ翁長村まで持ってきていた。それが自分なりに気に入って離さず持っていたので何故か貴重に思えて大事にしていたのだ。この杖を記念に寄贈することを考え、「お世話になりました。土佐に帰り、手紙を書いて礼をするつもりですが、何の連絡もなければ鎖国の禁を犯した罪で処刑になったものと思ってください。この杖を私の形見としてお受け取りください」と言って、ペーチンに渡し家族の人たちに礼を言った。愛嬌ものの「ウシーグァ」も、親と役人たちの後ろに隠れるようにそして、ひそかに肩越しから万次郎をうかがい、涙を拭きながら別れを悲しんでいた。そして、薩摩役人の指示に従って駕籠に乗って小禄間切りを通り那覇の港に向け出発した。

夕刻になって、薄暗くなった那覇の港に着くと、7人の薩摩の役人と共に薩摩藩の大聖丸に急がされ乗り込んだ。役人たちは、万次郎たちを警護しつつ、万次郎たちが上陸に使ったボートとその装備品もこの藩船に一緒に積み込んだ。夕暮れの中、万次郎らは、港の様子や那覇の街の様子も一切見る余裕などなかった。それは、薩摩役人の意図があっての事だった。まず、万次郎らがベッテルハイムとの遭遇があってはならないということ、那覇の港に異国船を警戒している薩摩の役人がほとんどいない風景を見られ

たくなかったからである。薩摩の役人は、最後の最後まで用意周到であった。那覇の港に到着しても、天候が思わしくなくしばらく出航できず船で待機することになるのだが、アドベンチャラー号も荷物も隠すようにして、藁《わら》で編んだ筵《むしろ》で覆われた。万次郎たちは、大聖丸から下船して那覇の街さえも、散歩することなど許されなかった。この時期は、台風が接近するだけで1週間も海は荒れて船を出すのがむつかしい時期である。

7月18日にやっと晴天となり、風も波も止《や》んできたので出航の準備を整えた。そして、那覇の港内をタグボート代わりに使っていた数隻の漁師のサバニ船に引かれて大聖丸は、港外に出ると黒潮の流れに乗って北に向けて一路薩摩を目指して琉球を後にした。那覇の港を出て、残波岬を右手に見ながら北に進むと、伊江島と本部半島《もとぶはんとう》の間を抜けた。そして、伊平屋島付近で波が高くなり、沖永良部島、徳之島そして奄美大島、屋久島を通過していった。小さな島々を横目に見ながら黒潮に乗ってさらに北上するとやがて遠くに噴煙とともに桜島が見えた。12日間の船旅を終えて那覇港から約600キロ離れた錦江湾の玄関にあたる山川港に入った。琉球を往復する船は、必ずこの山川港に寄港することになっていたのだ。

8月1日に山川港で小舟2艘に乗り換えて、湾内を更に奥に進み右手に桜島を見なが

ら鹿児島港に到着した。そして、万次郎たち3人は、西田町下会所という所で一時滞留することになった。会所では、番人に常時見張られていたが、やがて薩摩藩主からの命令が下りた。それは、「食事その他、全ての事においてこの3人の漂流民の要求に応じ、丁寧に接するように」とのことで、それからというもの毎日酒が出され、賓客のように扱われるようになった。食事だけでなく、羽織や襦袢、帯なども賜り、煙草や紙、手ぬぐいなどが贈られた。

それだけの持成《もてな》しをしてくれた藩主は、万次郎らが翁長村の徳門家に幽閉されている時の3月10日に薩摩藩主になったばかりの第11代藩主の島津斉彬公である。当時、まだ43歳の若き藩主で国内外の事情に精通し、積極的に西洋文化を取り入れ富国強兵を旨とし、新しい藩政に取り組んでいこうとする意欲に漲《みなぎ》っている若い藩主であった。だからこそ、アメリカで英語の教育を受け、航海術や高等数学に精通した日本人が、琉球に上陸している知らせを聞いたときに、斉彬は、一日でも早く薩摩に送るようにと琉球の在番奉行所に指示していたのである。

26　島津斉彬の思いやり

島津斉彬は、1851年に薩摩藩第11代藩主になるが、幼少を江戸で生まれ育ち、若き青年時代は、老中阿部正弘や最後の将軍徳川慶喜らと将来の日本の在り方について真摯に議論しあっていた仲間の一人である。もし、斉彬が譜代大名の出身であったならば、老中となって天下の国政を任せ活躍できたのにと惜しまれるほどにその英明ぶりは世間の評判だったという。

特にその頃の課題は、アヘン戦争が終わり、欧米の異国船が琉球にも押し寄せてきて軍事力をちらつかせながら貿易や通商を迫ったりして日本の主権が踏みにじられそうなことが起こっていた。斉彬は、西洋列強による日本の植民地化を避け、今後も日本が自立して国家を営み続けていくためには、大砲鍛造や造船事業を中心としながら産業を興すべきと考えていた。そして、日本と西洋列強の軍事力の差を認識し、その差を縮めな

いと大変なことになると考え、日本を強く豊かにするために大規模な近代化を志すことに目覚めていた。そして、藩主に就任すると同時に西洋の科学技術を積極的に導入して「集成館事業」と呼ばれる事業を興したのである。

薩摩藩では、軍備の近代化・強化に取り組む意気込みとして「西洋人も佐賀人も同じ人間であるから、同じように努力をすれば西洋人にも佐賀人にもできたように薩摩人も反射炉を完成させ、大砲を鍛造することができるはずだ」という意味で時代に乗り遅れないように大いに励もうとする機運があった。しかし、実際はその鉄製大砲の鍛造で反射炉を造ったりしたが、専門家を外国から招いて教えを請う事もできない状況の中で何度も失敗を繰り返していた。それでも、海軍力・海運力を強化するには、洋式船、それも蒸気船が必要と考え、その技術と航海術を指導できる人材が欲しかったのだ。

1851年8月には、和洋折衷の実験船の「いろは丸」の建造に取り掛かったばかりで、やはりその技術や資料も乏しく西洋式蒸気船の技術を取り入れた洋式船の建造とまではうまくいかなかったのである。

そのような時期に、斉彬にとって思いがけない貴重な情報が飛び込んできたのである。それは、正にタイミング的に西洋船を知り尽くした、救世主として万次郎が薩摩に

護送されてきたのだ。斉彬は、万次郎がアメリカの捕鯨船に船員として乗船した経験があり、専門学校で航海術を学んだ人材であることも琉球での取り調べの報告を受けて知っていた。そこで、地元の船大工を派遣し、アメリカの捕鯨船の構造を聞き取らせ、万次郎に洋式船のひな形を作らせた。万次郎は、喜んで船大工に洋式船の構造を説明しながら日が昇る時から作業を始め、日が落ちて暗くなるまで共同作業に精を出し数日でひな形船を完成させた。そして、薩摩藩は、そのひな形を参考に越通船《おっとうせん》という小型帆船を建造したのである。その越通船《おっとうせん》は、長さ15メートルで同型船を多数建造した。1854年には3隻の越通船が薩摩から江戸に向けて航行させている。

しかし、斉彬は、日本最初の西洋型帆走船「いろは丸」や「越通船」では、満足せず、本格的な洋式船を建造したかったものの、江戸幕府の「大船建造禁止令」がある限り不可能だった。そこで、旧友である家老・阿部正弘に相談し、「琉球大砲船」として建造するようにアドバイスを貰った。その後、「琉球大砲船」を洋式船に造り直して本格的な洋式軍艦を完成させ「昇平丸」と名づけた。その後、江戸に回航されて幕府に献上された時には、名前が「昌平丸」に改められた。

斉彬は、その後も洋式帆船4艘を建造するが、1857年からは、独自に洋式船を建

造するよりも、直接外国より蒸気船を購入する方針に転換する。性能のよい軍艦を短い期間で手に入れるには、造るよりも買う方が手っ取り早いということである。琉球に薩摩役人・市来正右衛門を派遣しフランスから蒸気軍艦を購入するように命じたのである。その命令を受けて購入計画を遂行したのが、琉球側の役人として万次郎が上陸した時に取り調べをした通詞の板良敷朝忠であった。朝忠は、通訳者としての力を認められ薩摩藩主・島津斉彬の右腕として軍艦購入の野望を実現するために走り回った。1855年に斉彬のお蔭をもって、朝忠は、琉球王府閣僚に当たる表十五人のうち日帳主取（外務次官に相当）に抜擢《ばってき》された。読谷間切の大湾の地頭となり、3年後には、那覇の牧志の地頭となった。名前も板良敷朝忠から、大湾朝忠、最終的に、牧志朝忠親雲上《ぺーちん》と昇格した男である。斉彬が最も信頼した優秀な琉球の役人の一人であった。

万次郎については、朝忠からも斉彬に英語の能力や航海術を学んだ優秀な男ということで、すでに伝えられていただろう。後に、万次郎の優秀さは、斉彬から幕府の上層部にも伝えられた。その万次郎は後に、咸臨丸の艦長となる勝海舟の下で軍艦教授所の教授に任命されたり、薩摩藩にも招聘され薩摩藩開成所の教授にも就任して活躍することになる。

万次郎らの薩摩藩での滞在も48日となり、それ以上も留め置くと、斉彬は、幕府から苦言があれば困ると考えた。そろそろ漂流者3人に新しい衣服一式、それに金一両をそれぞれに与えて、万次郎らを長崎に送らなければならなかった。斉彬は、万次郎に礼を言って送りはしたが、その後の長崎奉行所での取り調べのことが気がかりであった。万次郎たちが鎖国の禁で処刑にされないように自分ができることを考えていたようだ。

外国船が頻繁に日本に進出してくる時代だからこそ、外国で教育を受けた人材・万次郎がその時の日本に必要であることを誰よりも理解していた斉彬だった。まさに、斉彬にとって万次郎は、日本が西洋の知識を最も欲していた時に彗星《すいせい》のように現われた人物だったのだ。そして、斉彬は、いかに万次郎がこれからの日本にとって重要な人間かを幕府の上層部の役人たちに手紙に書いて、処刑をせず、万次郎は生かして活用すべきであると裏で強く依頼していたのである。

万次郎の薩摩滞在中にアメリカのことを多く学んだ斉彬だったから、これから長崎奉行所で取り調べを受ける万次郎の身の安全が心配だったのだ。「この男は絶対に死なせてはいけない」と遠まきに長崎奉行所の奉行牧義制《まきよしのり》や江戸幕府の老中阿部正弘、友人の水戸藩主・徳川斉昭にも手紙を書いた。そして、万次郎がこれからの日本にとってどん

なに重要な人物であるかを説いた。

アメリカでは目上の人に対する話し方や接し方について、話し手が年下か年上なのかの年齢の差は、大きな問題にはならない。遭難するまでの万次郎は、土佐の田舎で育ち、日本の封建社会の政治情勢や経済動向の社会の仕組みや、ましてや歴史や文化などについて藩の塾や学校で学ぶ機会はほとんどなかった。しかし、アメリカで教育を受けて自由で平等な社会を体験した万次郎にとって帰国した琉球でも薩摩においても、日本とは何と窮屈な社会なのだろうと思ったに違いない。

日本は、キリスト教の普及を頑《かたく》なに拒み、長崎の出島以外では、自由に外国との貿易など許さない体制であった。幕府の最高権力が交易機能を独占し、それを維持するために鎖国政策が取られた。その政策についても十分な知識や情報を持たないまま帰国した万次郎だった。

万次郎は、日本近海で捕鯨漁をしているアメリカの捕鯨船に食料や飲料水など命に係わる重要な事態には、いつでも日本の港に立ち寄れるようにしたかった。それも、アメリカの大統領的な地位のある徳川の上層部の役人に直訴することを考えていた。それは、当時の封建制度の幕府からすると最下級の武士の意見など当然に受け入れられるも

のではなかった。

　それを察してか、斉彬は、万次郎に長崎奉行所での取り調べの時にクリスチャンであることを否定し、帰国の目的を10年間も沙汰なしの母に会いたいことを最大の理由にすること、それから、「開国」の考えなど長崎奉行の前では、一切意見してはならないなどの「入れ知恵」をしたと思われる。斉彬のやるべきことは、鎖国の禁をおかした万次郎たちに決して不利な言葉遣いや宗教、思想的なことを言わないようにと適切な助言をすることだった。そして、長崎や江戸の権力を持つ役人へ万次郎たちを処刑しないように事前情報を提供する手紙を書くことだった。そのような斉彬の努力のお陰で最終的に万次郎は鎖国の禁を犯しても処刑にならずに済んだのだろう。

　万次郎は、アメリカで培った自由な精神を持っていたと思えるが、この封建社会の日本では、通用しないし、危険であると斉彬は察するようになった。そこで、万次郎のアメリカ的なものに蓋をして、特に幕府の役人などに接する場合は彼らを敬《うやま》うようにして、より謙虚な姿勢で対応するよう斉彬によって躾《しつけ》されたか、指導されたとすれば、長崎奉行所の取り調べから万次郎は、素顔を隠して仮面を被り、内面の自我を押し殺し、日本の社会で日本の仕来たりの中で生きていくことを強いられたことになる。

アメリカで培った合理主義的な考えや自由な発言ができない、それが許されない当時の日本の封建社会は、士農工商の身分制度のなかで武士が絶対的権力を持っていた。例え、万次郎の考えが正しくても口答えしてはならず、上位の武士の言うとおりに同調していかなければならなかった。万次郎は、アメリカで自由に思いを語り、行動にも移すことができただけに、それが許されないことは、さぞ辛く息苦しいと感じたに違いない。「出る釘は、頭を打たれる」ということになり、当時の封建社会で波風を立てないよう生きることが賢い生き方と悟った。その考え方は、権力者にとっても波風が立たない平穏な社会を維持する意味でもあろう。同時に身分や家を安泰にそして継続するためにも都合がよかったのだろう。

9月18日、幕府の斉彬への配慮もあって、漂流民のことが御公儀に周知された。そしてまもなく3人は長崎に向けて鹿児島を出発した。槍持ちの役人が5人とその部下5人が随行して万次郎たちを警護した。万次郎たちのアドベンチャラー号とその装備品は荷役が運んだ。鹿児島を徒歩で出発し4日後には、現在の薩摩川内市向田に到着した。そこから川船に乗って川内川《せんだいがわ》のほとりにある薩摩藩西海岸の京泊という河口の港に着いた。その港で、丸に十字の島津家の紋所を染め抜いた絹の紫幕が垂らされた船足の速い

大型の軍船で「勢騎船《ぜきぶね》」と呼ばれる船に乗り換えて西北に帆走、鹿児島を出発して10日後の9月29日に長崎湾に入った。

10月1日に長崎に上陸した万次郎らは、奉行所に連れて行かれ、罪人を取り調べする白洲で早速、漂流の経緯を聴取された。それから、11月22日まで50日の間に18回も引き出されて尋問を受けることになった。長崎奉行所では、およそ9寸角の真鍮の板にキリストとマリア像が掘られた「踏み絵」が出された。敬虔なクリスチャンであれば決して崇拝する像を踏むことができないことを分かっているだけに、あえて踏み絵を踏むように命じられた。3人とも命じられたとおりに踏み終わると再び取り調べがあり、その日の内に佐倉町の揚がり屋に入牢することになる。鹿児島での待遇とは雲泥の差があり、万次郎が彼らの対応に苦情を言おうとした時、伝蔵に荒立てないよう言われ気持ちを落ち着かせた。

佐倉町の揚がり屋に入牢すると、5人の男たちが近寄って来て声を掛けられた。ちなみに、揚がり屋は、御目見以下の御家人、大名や旗本の臣、僧侶、医師、山伏など未決囚を入れた牢獄である。

男たちとは、昨年10月ホノルルで出会い、コピア号で別れた、紀州日高の天寿丸の寅

吉ら5人であった。彼らは、上海経由で帰国してここ長崎の揚がり屋に入っていた。みんなは、再会を喜び合い、互いに別れた後の経緯を話しながら盛り上がっていた。

長崎奉行自身が万次郎ら3人を白洲に呼び出し、再び取り調べが執り行われた。所持品の詳細な調べも行われ、後に書籍と器具類は返還されたがそれ以外は全て没収された。せっかく、遠路を母への土産として大切に持ってきた金鉱で採った一粒の金塊も日本の金銭に換えられてしまい、万次郎は不満だった。

入牢中は、しつこい取り調べが続いたが日が経つにつれて徐々に待遇は緩《ゆる》くなり、むしろ終わりの時期は寛大であった。入浴、理髪、外出も許され、11月21日には金毘羅山、聖福寺、福済寺、本蓮寺を観光している。

この間に長崎奉行は事の顛末を江戸幕府に報告し、幕府は土佐藩に3人の身元確認を依頼し、その結果を幕府に知らせた。折り返し母藩である土佐藩に3人を引き取るよう命じた。その際に、長崎奉行の牧義制《まきよしのり》は、18回に渡って取り調べをした後で、江戸の幕府首脳部に対して「万次郎は すこぶる怜悧《れいり》にして国家の用となるべき者なり」と報告している。

土佐藩では、役人13人の派遣を決め、それに身元確認のため宇佐浦組頭と中之浜の与

総次が同行、与総次はその後長く万次郎に付き添う事になる。その他、自費で参加した医師2人の総勢17人の者が5月26日に高知を出発した。6月18日に、迎えに来た土佐藩の役人たちがようやく長崎に到着した。

やがて、長崎奉行所より「無罪放免」という事で自由の身になった万次郎ら3人は、6月25日に土佐藩の一行と共に総勢20人が長崎を出発し、帰郷の途につくことができた。前年の1851年10月1日に長崎に到着して以来8カ月と25日が経っていた。

27　土佐への帰郷

１８５２年６月25日、万次郎ら３人と土佐藩の一行17人、総勢20人は、長崎を出て門司、下関を経て三田尻（山口県防府市）に着く。ここより２日の船旅で瀬戸内海を渡り７日三津浜（愛媛県松山市）に着き四国に入る。松山、久万を経て、９日伊予と土佐の国境の峠を越えて、用居口の関所を越えた。長崎を出発して２か月後の１８５２年８月25日、ついに高知城下に到着した。

万次郎らは、宿舎に指定された浦戸町の旅館松尾で旅装を解いた。それからは、藩主・山内容堂の指示により、毎日、役所への出頭を命じられ、漂流から救助、アメリカでの滞在の詳細について取り調べが続いた。万次郎が持ち帰った世界地図についての聴取があったのは、長崎奉行所と同様で、11月９日にようやく聞き取りの全てが終了した。

最終的に聞き取り調査の結果を受けて、万次郎、伝蔵、五右衛門の3人に具体的な鎖国の禁を犯した罪として、その後の生涯にわたって海での仕事と領地外への旅を禁じられた。この時、ふと万次郎は思った。それが鎖国の禁を犯した罪ならば、いずれ将軍に直訴してアメリカ捕鯨員のために港を開けて貰うという開国の夢は叶わないということなのか。これが、外国へ行った者への日本の決りであることを知った時の失望感は大きかった。一方で生涯に渡り、俸禄が与えられることになったがその事については、万次郎にとってどうでもいいことだった。そうこうしているうちに、やっとのことで生まれ育った故郷の中ノ浜村に帰る許可が下りた。

藩から帰郷の許可を得て、3人は11月13日に興奮を隠せず喜んで高知を出発した。伝蔵と五右衛門兄弟の故郷は宇佐浦で高知城下から西に約20キロほどのところにある港町である。左手に懐かしい太平洋の海を見ながら海辺に沿って歩きつづけると日暮れ時には故郷の宇佐浦に帰り着くことができた。しかし、11年も経っているので、伝蔵たちの家はすでに朽ち果てていた。幸いにも、伝蔵のいとこが近所に住んでいたので、3人を泊めてもらえるように頼んだ。そうしてゆっくり休もうとすると、伝蔵たちが11年ぶりに帰ってきた事を聞いた親族や古い友達が寄り集まってきた。伝蔵から長年の苦労話を

聞いて、みんなは涙を流し、何よりも無事に帰れたことをみんなで大いに喜びあった。土佐の言葉をほとんど忘れていた万次郎と違って伝蔵たちは11年たっても土佐弁をほとんど流ちょうに話せた。それは、伝蔵の年齢的なもの、ハワイでは、五右衛門、寅衛門も近くに住み、いつでも土佐弁を話せる環境にいたことが宇佐の言葉を忘れずに済んだという大きな違いが原因なのだろう。伝蔵と五右衛門は、ついに念願がかない宇佐の言葉で親戚や友人と大いに話し帰国できたことを最高の幸せとして感じていた。

万次郎は、翌日14日の朝早く、生死を共にしてきた伝蔵、五右衛門に別れを告げて宇佐浦を出発し急ぎ足で母の待つ中ノ浜に向かった。陸路を100キロ余り歩かなければならない。3日間を歩き続けて疲れていたが四国で最も長く日本の3大清流のひとつ四万十川にやっと着くと中ノ浜まで残り20キロ余り、いよいよ家族に会える。1852年11月16日の午後に、ついに中ノ浜峠に到達した。峠から下界をみると見慣れた青い海が視界に飛び込んできた。中ノ浜浦の海岸である。遂に生まれ故郷の中ノ浜に帰ることができた。遭難してから11年と10ヶ月の歳月が過ぎていた。万次郎の帰国は、すでに高知からの便りで噂になっており、母親は、我が子の帰りを半信半疑で待ちわびていた。実際に我が子を自分の目で確認しない事には実感が湧かなかったということだろう。

万次郎は、中ノ浜の村に入ると最初に帰国の報告をするために、古老の庄屋に向かった。すでに多くの村人たちが万次郎を一目見ようと詰め掛けていた。その人垣の中にようやく母を見つけると万次郎は、自分から早足で母のもとへ近寄って行った。そして、年老いた母親の顔を見ながら涙が溢れてきて強く手を握って抱きしめた。そして、年老いた母親の顔をじっくり見つめた。長い間、夢に見た母が目の前にいる。母親の「志を」は、涙して万次郎の頭、顔、そして頬を撫でながら手の感触で我が子を確かめてしっかり抱きしめた。間違いなく我が子、万次郎だった。万次郎は、長い間心配をかけて済まなかったと心の底から謝った。母親は遭難して死んだと思っていた息子が逞しい青年となって目の前にいるのがうれしくて万次郎をじっと見つめなおし、我が子を待ち続ける苦しみから解放された。姉の世喜《せき》、世喜の婿で父・悦助の名を継いだ義兄の悦助や眞、兄の時蔵、妹の梅も健在であった。みんな集まってともに再会を喜び、泣きながら抱き合った。帰国の祝杯をあげ、万次郎の11年ぶりの帰郷で一件落着、遭難事故に終止符が打たれたのである。

家族は、万次郎がすでに死んだものと諦めて、丘の上に遺骨の代わりに石を置いてそれを万次郎の墓として祀っていたのだった。万次郎は、長年家族に心配をかけていたこ

との許しを請うとともに、片時も家族のことを忘れずにいたことを思い出した。いつか「必ず帰る」と諦めなかった気持ちを持ち続けてよかったとしみじみと思った。そして、11年間の時間をふっと振り返り、その意味を考えながら、改めて生かされていることへの感謝の気持ちで胸がいっぱいになった。

14歳で遭難した少年は、アメリカで教育を受け、大きな使命感を抱いて帰国した。その青年は、立派な25歳という年齢になっていた。冒険心旺盛な少年は、これまで多くを学び、経験したことを、これからは指導的立場で社会のために貢献すべく新しい挑戦に向かって生きていくことになる。

第7章　黒船・咸臨丸

28　土佐藩のサムライに登用

11年ぶりの家族との再会は、感激と涙と喜びの中で時間が過ぎて3日目になっていた。これから、家族と一緒に幸せな時間が過ごせると思っていた万次郎にくつろぐという時間は許されなかった。土佐藩の役人が来て、「すぐに高知に出向くようにと藩主の命令が下りた」ことを告げた。土佐藩は、万次郎がこれまで学んだ英語や航海術を必要としていたのだ。結局は、万次郎が家族と一緒に過ごした時間はたったの3日間であった。

その日に急いで支度をさせられ、早足で歩かされ高知に着いた。そして、藩主の命令で絵師の河田小龍の力を借りて万次郎が持ち帰った世界地図を日本語に書き換える作業を最初に言いつけられた。その作業は、地図の出来栄えがよくできていたので藩主を満足させるものであった。その功績で万次郎は、藩の公式会議によって譜代の藩士となる

ことに決まった。これからは、「御扶持切米」という給与が出て「御小者《こもの》」として召し抱えられる土佐藩の武士となった。従って、今まで鎖国の禁を犯した罪で外部に出ることも禁じられ、生活の最低限の食として「壱人扶持」が当てがわれることになっていたが、万次郎の場合は、それが取り下げられたことになる。罰としての「壱人扶持」のことを聞かされた時は、漁師になることも、ほかの村に訪ねることも禁止で、まるで孤島に島流しされた罪人のようだと悶々としたものだった。ところが武士となり自分の意志で行きたいところに行ける、やりたいことができる、人として自由に生きることができると思うと視界が急に開けた。

小者は、藩士の中でも最下級の武士の地位であるが、身分にうるさい土佐藩にすれば、一介の漁師から武士になるのは当時としては破格のことであっただろう。武士なので帯刀が許され、藩から刀を拝領した万次郎であったが、それを無造作にぶら下げて、まるで武士になった栄誉に対して関心がないかのように歩いていたという。

万次郎は、藩校教授館で教えることになり、高知の山田町に一人で家を借り、城下町で住まいを構えることになった。万次郎は、藩士の最下級者ではあったが教授館の教授に任命された。後藤象二郎や岩崎弥太郎たちに教える傍ら、藩の高官や多くの知識人も

出席するようになり、海外の事情に興味を持って聴講に来るものが増えてきた。

ある時、吉田東洋に外国の地図を広げて世界情勢を説明しているときに15歳の後藤象二郎がそばで余りにも熱心に話を聞いていたのでその地図を与えた逸話もある。他にも、直接、間接的に万次郎の外国の話に感化された多くの土佐藩士がおり、坂本龍馬もそのうちの一人で後の生き方に大きな影響を与えたと言われる。

藩主の山内容堂は、藩の参政・吉田東洋を呼んだ。そして、絵師の河田小龍に、万次郎らの遭難してからの一部始終を報告書として作成するように命じた。その報告書が『漂巽紀略《ひょうそんきりゃく》』だが、万次郎が当初、日本語をまともに話せなかったので、河田小龍は、自宅で寝食を共にしながら万次郎に日本語を教え、逆に万次郎から英語やアメリカ事情について聞き取りたいと願い出た。その事への承諾を貰うと小龍の家で生活をしながら土佐弁ではなく、江戸で話される武士の正しい日本語を教えてもらいながら報告書の作成に励むことになった。『漂巽紀略』とは、「東南の方向に漂流した話を記録したもの」という意味だが、万次郎は英語で「5名の日本人の話」という意味で「The story five of Japanese」とタイトルをつけて、さらにサブタイトルとして「とても律儀な物語」という意味で「a very handsome tails」と書いている。本の中には、万次郎が話した内

容を小龍が忠実に絵図を入れて描かれている。狩野流の絵師・河田小龍が蒸気機関で走る汽車の挿絵やボストンの港、そして、琉球での翁長村の人たちが見事なタッチで描かれている。『漂巽紀略』は5巻にまとめられ、原本は藩主に提出された。そして、藩ではそれを書き写し江戸幕府に何部か献納した。印刷技術が発達していない時代だったので、他の藩も人手を使ってそれを書き写した。アメリカ事情が解りやすく記され挿絵も入ってる『漂巽紀略』は、次々に書き写された。日本人が見た目でアメリカ国を紹介した初の本として、当時のベストセラーになったという事である。鎖国の時代に日本国民が初めて、アメリカ人の社会と文化を垣間見ることができる本となったのだ。

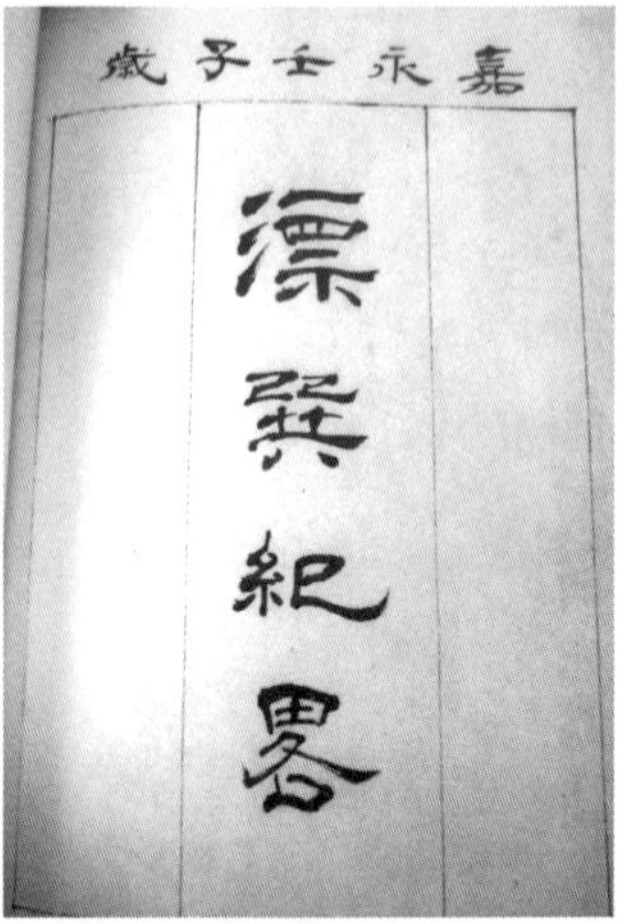

『漂巽紀略』

29　ペリー提督の琉球上陸

1849年4月5日に、長崎奉行所の牢獄からアメリカ捕鯨員を救助したプレブル号のグリーン艦長は、帰国後すぐにフィルモア大統領に「日本開国の機は熟した。強力な艦隊を派遣すべきだ」と進言した。これを受けてウェブスター国務長官は、東インド艦隊司令長官に対して日本開国に向けての指令をその日に与えている。指令の第一の目的は、アメリカ捕鯨船員の生命・財産の保護だった。そして、翌年の1852年1月12日になって、ペリーが東インド艦隊司令長官、遣日使節の内命を受けて、3月24日に正式にペリーは、日本遠征の指令を受けることになる。日本では、万次郎ら3人がやっと長崎奉行所で取り調べを終えて、そろそろ高知への帰郷の準備がされようとしている時期だった。

1852年11月24日、遣日使節ペリー提督は、ミシシッピー号に乗って指揮をとりな

から米国東海岸のノーフォーク港を出航し日本遠征に旅立っている。大西洋を横断し、南アフリカのケープタウンで薪水食料を補給し、マラッカ海峡に入りシンガポールを経て、南シナ海を北進し香港に到着した。その後、広東、マカオを経て上海へ航行し、そこで提督旗をサスケハナ号に移した。その頃の万次郎は、母との再会を果たしたが3日後には高知城に戻され、土佐藩士として武士となり教授館で教鞭《きょうべん》をとっていた時期である。

1853年5月17日、ペリー艦隊は上海を離れ、琉球へ向かい、5月26日に那覇港へ入った。ペリーは、日本が開国を拒んだ場合には、那覇の港近くに蒸気船の燃料である石炭の貯蔵庫を建設し貯炭所として占拠するつもりであった。那覇に着くと「琉球・英国海軍伝道会」より派遣されたバーナード・ベッテルハイム牧師に会った。ベッテルハイムは、家族とともに那覇の「波の上」にある護国寺に宣教活動を目的にすでに7年間も琉球に滞在していた。その間に板良敷朝忠から琉球語まで教わると「琉球語文典階梯」なる英語を琉球語に訳した辞典まで作り、キリスト教の福音書を琉球語に翻訳していた。そこでペリーは、琉球語も話す通訳としてベッテルハイムを雇った。

ペリーは、この時期に若き琉球王・尚泰の臣下である摂政たちと何度か接することが

あったが、常に板良敷朝忠が側に付き琉球側の通訳を務めていた。朝忠は、英語の通詞としては、当時トップクラスの琉球王府の役人であった。万次郎が翁長村で聞き取りをした時も通訳を務め、『ジョージ・ワシントン伝記』に興味を持った男である。

ペリーは、琉球に上陸するとまもなく琉球王にアメリカ大統領からの書状を渡したいという事で、王との直接の面会を求めてきた。しかし、琉球側は尚泰王が歳も若く、しかも体調が悪いことを理由に頑《かたく》なに面会を断った。すると、ペリーは、大砲を首里城の歓会門まで移動させ、軍事的な強硬手段で歓会門を吹き飛ばしてでも首里城に登ろうとした。これを「恫喝外交」と言わず何というのだと恐怖と怒りが混じった気持ちで、ペリーの大砲の前に立ちはだかり、それでも琉球王に面会させなかったのがこの板良敷朝忠であった。

ペリーは、浦賀に行く前に琉球を前進基地にと考えていた。そして、小笠原諸島の視察の目的は、琉球に貯炭所建設が無理なら、第2の候補として小笠原近海の島に建設することを考えていたようだ。そこで、貯炭所の候補地としてペリーは、取り合えず、那覇の港の岸に石炭の貯蔵庫をつくりたいという申し入れをした。貯炭所は、アメリカ軍艦や中国を行き来する商船の蒸気船の燃料として使う石炭の貯蔵庫が必要だったのであ

る。

それ以外にも、ペリーは、艦隊の船員のために宿泊可能な施設を陸地に準備してほしいと要求してきた。その時にも、強硬的に泊村の村屋を宿泊所として使いたいと中国人の通詞を通じてアメリカ士官が朝忠に迫ってきた。そこで朝忠は、中国人の通訳を無視して、直接、ペリーが送った士官に対して、しかも英語で「村屋を宿泊施設として貸すことはできない」と抗議した。そして、英語で「I have a read of America in books of Washington（私はアメリカのジョージ・ワシントンの本を読んだことがあります）」「Doo Choo good friend of America（琉球の人たちはアメリカ人にとっていい友です）」「Doo Choo man give America all provision he want（琉球の人たちはアメリカ人の必要な食糧や物資はすべて提供いたします）」。そして最後に「American no can house on shore（アメリカ人は、この陸地に宿泊施設をもつことはできません）」と強く抗議したのだ。士官らは、朝忠の英語とアメリカ初代大統領について知識を持つ琉球の通詞の存在に驚きを隠せなかったという。

この抗議のなかで朝忠は、最初にワシントン大統領の話をしている。民主主義国家であるアメリカが他国の土地に軍事力をちらつかせて、軍艦の船員のための宿泊施設を他

国の琉球の地に勝手に持つことは許されるものではないだろう。それがわかっているから朝忠は、最後に「no can house on shore」と言った。それからすると、アメリカ軍に対して、初めて「ノー」と言い切った最初の琉球人が板良敷朝忠であったと思われる。つまり、万次郎が持ってきた『ジョージ・ワシントン伝記』のおかげで、琉球人で最初に民主主義を学んだ朝忠だったからこそ、堂々と物怖じせずアメリカ軍に抗議することができたのだ。

30　ペリーの浦賀上陸

1853年7月2日、ペリー提督の率いる4隻の黒船は、琉球から江戸を目指して日本遠征の旅へと出発した。アメリカ独立記念日の7月4日には、足摺岬の沖合を通過していた。その辺りは万次郎たちが漂流した洋上であった。そのまま四国の沖合を進み7月8日には伊豆の山々が遠くに見えてきた。この日の午後には、浦賀水道を通り抜け、江戸湾をゆっくりと北上し、やがて4隻の黒船は江戸湾浦賀沖に錨を下した。海上では、漁師たちが小舟に立ちすくみ、陸上では、子供や女たちは恐れおののき内陸へと逃げて隠れた。

まもなくサスケハナ号に日本の御用船が横付けになり、浦賀副奉行とオランダ語通詞の二人が乗船し船長室へ案内された。そして、ペリー提督の副官コンティ大尉が対応し、「アメリカは、日本と和親を取り結びたくてやってきた。フィルモア大統領の国書

を手渡したい」と伝えた。浦賀副奉行は、「異国との交渉は長崎に限られているので長崎に行くように」と強く要求したが、コンティ大尉にとってその要求は想定内の事であったのできっぱり断った。こうして、1日目の日米交渉は終わった。

7月9日に再び浦賀奉行がサスケハナ号に乗船し、長崎に移動するよう説得するが、黒船側は、これを再び拒絶し国書を受け取るか否かを3日以内に期限をつけて返答するよう迫ってきた。その間、黒船からボートを下して湾内の水深を計りはじめ、浦賀の灯台あたりに上陸する船員もでてきた。

7月11日、ミシシッピー号が浦賀の沖合から錨を上げて、観音崎を回って江戸湾深くに入ってきた。ペリー提督の考えは、強大な軍艦を江戸の街に近づければ、幕府当局はそれに怯えてアメリカの要求に有利な回答をすることを期待していた。案の定、幕府は、この黒船の行動に震え上がり7月14日に久里浜において大統領の国書を受領することを決議したのだ。

そして、14日の午前10時にペリー提督は、久里浜に上陸し箱の中からフィルモア大統領からの書状を出して日本人使節に渡した。その親書の内容は、「ひとつアメリカが日本と友好関係を結び、相互に通商を行う事」、「ひとつアメリカの憲法は、他国の宗教

上、政治上の事柄に干渉することを禁じている」「ひとつ両国の利益のために日本とアメリカが交易することが望ましい」「ひとつ日本は、鎖国政策を捨てる時期に来ているので鎖国の禁を解いてもらいたい」「ひとつ日本は、石炭と食料が豊富である。アメリカの商船が太平洋を横断するのにたくさんの石炭が燃料として必要になる。願わくば、アメリカの船舶が自由に立ち寄り、石炭、食糧、水を補給できるようにしてほしい。そのために日本の南方にある島の一つに便利な港を開けていただきたい」と記されていた。

最後の要求の中にある「日本の南方にある島」とは、琉球か小笠原諸島の事であろう。その頃のアメリカは、ジョージアの南部で黒人を奴隷にして綿花を生産し、それをアメリカ北部の州でヨーロッパからの移住者や元捕鯨員の労働力を活用し、機械化された工場で大量に厚地の木綿織物を生産していた。それを、外国に輸出するため、巨大市場として中国に目をつけていた。すでにアメリカは多くの中国の茶を輸入していたので貿易のバランスをとるためにも中国に木綿を輸出したかったのだ。航路としては、カリフォルニア、ハワイ、上海の太平洋を横断することが最短距離であった。ちなみに、万次郎らをハワイから琉球まで便乗させてもらったサラ・ボイド号もウェルチ船長のマー

リン号も上海で茶を買うためにハワイ経由で琉球近海を航行するアメリカの商船であった。そのように商船が頻繁に航海する琉球近海だったのでアメリカは、蒸気船の燃料となる石炭の貯蔵庫を琉球に設置する必要があったのだ。

1853年7月17日、ペリーの黒船艦隊は、日米和親条約締結について幕府側に宿題を残して翌年に再度交渉することを約束した。そして浦賀沖で錨を上げて10日間の成果に満足して江戸湾を去っていった。浦賀の海上も岬も海岸も、黒船を一目見ようとする人たちで埋まっていた。

1853年7月25日、幕府から江戸の土佐藩邸に一通の書状が届いた。「万次郎にアメリカ国の様子について尋ねたいことがあるため、江戸へ呼び寄せるように」とのことがその書状の内容であった。万次郎については、島津斉彬と長崎奉行志摩守の牧義制《まきよしのり》を通じてすでに情報は幕府に届いていた。儒学者の大槻磐渓《おおつきばんけい》は、日本側全権の応接掛（特命全権大使）の林大学頭を通じて、万次郎がいかにアメリカ国の事情について詳しく、怜悧《れいり》にして国家にとって必要な人物であるかを伝えて、幕府の上層部にすでに推薦していたのである。

9月3日、万次郎は、藩主の山内容堂の命を受けて高知城下を出発し、10月2日に江

戸に着いた。10月14日、老中首座・阿部正弘は、しびれを切らして待ち構えていたので早々に万次郎を呼び寄せ、林大学頭、川路聖謨、江川坦庵などが同席する中でアメリカの事情について聞き取りをした。万次郎は、アメリカの位置を世界地図の中で示し、北太平洋の東側にアメリカ国、そして、西側に我が国があってお互い海を挟んで向き合っていること、そして、政治体制としてアメリカは君主制ではなく、国家の最高決定権は人民にありリーダーである大統領を「プレジデント」と呼ぶ。その大統領を選ぶときは、人民の入れ札（選挙）で決める。そして、任期は4年で最長2期8年間で、4年毎に選挙を行う共和体制国家であること。それ以外にも、アメリカの人情、風俗などにも触れて、国内がよく治まっていることなどについて遠慮なく語った。最後に、アメリカの希望は何よりもアメリカの捕鯨船が憩《いこ》う事のできる港を日本に開いてもらうことが最大の目的であることも伝えた。その経験は、まさに大統領に直談判できるアメリカ人のように、万次郎は日本の国を動かす幕府の首脳部に日本の開国を促す意見を主張できたのである。それは、ペリーが日本に来たことにより、万次郎の帰国の使命を果たす仕事がここで一つ実現できたということになる。命の恩人であるホイットフィールド船長への恩返しとしてアメリカの捕鯨船員の仲間たちが日本の港に安心して寄港できるよう働

きかけることが万次郎の帰国する目的でもあったので、一つのミッションとして自らが決めた使命を果たすことができた。

万次郎は、12月5日付けで幕府の御普請役格として幕府直参《ばくふじきさん》に召し抱えられ、ここで初めて苗字を持つことになる。生まれた中ノ浜の名前を苗字として「中濱万次郎」と名乗った。土佐の藩士が一挙に幕府の武士に取り立てられたのだ。そして、御代官江川太郎左衛門はペリー再渡来に備えて、万次郎を召し出して自分に配属させるよう幕府に働きかけた。その結果、万次郎は「御代官江川太郎左衛門手付」を命ぜられた。そして、江川は、万次郎を専属の通訳官兼外交顧問として活動させた。そして、江川の望みもあって江戸屋敷の江川邸に住むことになった。

万次郎は、老中・阿部正弘に、自らペリーとの通詞を進んで引き受けたいことも願い出た。この時期の日本では、日本語と英語の間にオランダ語を介して通訳をしていた。そこで、万次郎は、日本語を英語に、英語を日本語に通訳する方が誤訳が少なくなることも理由にして自分が通詞を引き受けるべきと思った。しかし、幕府の有力者の中には、万次郎はアメリカが送ったスパイではないかと疑いを持つものがあった。そこで、江川も万次郎を通詞に強く推薦したのだが、結局は、老中阿部正弘から送られた反対意

見の文書により万次郎の通訳の件は、見合わせることとなり実現しなかった。

ペリーが約束した再来の時が来た。１８５４年2月26日には、幕府側の交渉する面々である林大学頭、井戸対馬守、伊沢美作守らが神奈川に入り、それぞれの宿泊場所に移動してきた。翌日、海防掛・江川太郎左衛門も早馬に乗って中濱万次郎を一緒に連れての横浜入りとなった。幕府の役人は、もう黒船を浦賀に引き戻すことは難しいと考え、神奈川の横浜を2回目の日米交渉の場所として応接の地に決定していた。

交渉に当たっては、江戸からの手紙で、万次郎をペリー及びアメリカ側の役人に会わせてはいけないという命令が江川太郎左衛門に出され、何かあれば江川の切腹まで覚悟を示唆した内容であった。手紙を送ったのは、島津斉彬の若き時代に江戸で友人であった水戸藩主・徳川斉昭だった。結局、万次郎は、アメリカ側のスパイとしての疑いがあることが理由のように思えた。しかし、後でわかったその真意は、逆にこれからの日本にとって重要な人物としての万次郎を、通訳の仕事が終わりそのままアメリカに連れて行かれたら日本としては大きな損失であると考えてのことだったようである。徳川斉昭が万次郎に通訳をさせまいと反対した理由はそこにあった。それは、島津斉彬から何度も、万次郎はこれからの日本で必要な人物、日本が必要としている技術を持つ男として

言われ、その考えに同感していたからこその意見だった。

よって、万次郎はこの日米交渉の肝心な場面に姿を現すことができなかった。万次郎にとっては、幕府の上層部の考えている真意を知る由もなかったので通訳ができなかったことを残念がっていた。しかし、万次郎は、交渉の表舞台に出ずとも横浜村に居て、ペリーが幕府に渡した英語資料を翻訳していたようである。また、アメリカ船員が陸地での測量中に落とした英文のメモが届けられるとそれを万次郎が翻訳して何かと忙しくしていた。

3月8日の横浜村は穏やかな天気であった。日米交渉の場となる応接所には、林大学頭、井戸対馬守、伊沢美作守、鵜殿民部少輔、松崎満太郎の5人の応接係ほか役員の面々が早朝より詰め掛け待機していた。正午に、ペリーは横浜村に上陸し、応接所の入口で役員の出迎えを受けて席に座った。そして、しばらくして林大学頭から、アメリカ側から願い出のあった薪水食糧・石炭は日本側から提供できるが、交易のことは申し受けることは難しいと説明した。そして、ペリーから林大学頭に条約草案を手渡し、黒船渡来の目的や考えを説明し始めた。そして、林大学頭は、捕鯨船への物資の供給については、人命救助に関わることなので理解できるが、交易は、利益に関することなのでこ

の二つは無関係であると説得した。ペリーは、その件については一理あることを認め、交易のことは取り下げた。その後も談判を繰り返しながら総論から各論へと交渉が進んでいった。

3月24日、最終段階として具体的に捕鯨船が自由に入港できる港を決めることになった。そこで幕府の提案した南方の港として伊豆国・下田港と北方の港として松前藩・函館港の2港が、太平洋上で操業しているアメリカ捕鯨船が自由に入港できる港となり、ペリーの率いる黒船の日本遠征の目的はここで達成された。

同時に万次郎の念願もその時に叶《かな》ったことになる。日本沿岸でアメリカ捕鯨船が遭難したり、台風が接近した時に、その波風を避けて停泊する船員の生命と財産を保護することができるようになったのだ。そして、いつでもアメリカ捕鯨船が薪水や食料を補給できる下田港と函館港が憩える港として使えるようになった。万次郎は、この歴史的なペリーとの会談において表向き目立たなかったが、裏で重要な仕事を処理する黒子に徹して多くの情報を正しく幕府へ提供し、日本がアメリカと友好的に交渉が進んだことに満足していた。

1854年3月31日、東インド艦隊司令長官ペリー提督と林大学頭は、それぞれ正副

の条約文に署名してそれを交換しあった。ここに日米和親条約が締結されたのである。いよいよ世界に開けたグローバル化する日本の有り様が見えてきた。

4月4日、日本遠征の目的も果たしたペリーは、しばらく横浜村を散策したりして寛《くつろ》いだ。4月10日には、7隻の黒船艦隊は、横浜と浦賀の間にある金沢八景沖の停泊地に集合して、その後は、1隻づつ江戸湾を離れて4月18日には、ミシシッピー号が最後の黒船として江戸湾を去って行った。

その中でレキシントン号やミシシッピー号は、4月16日から18日にかけて江戸湾を出港すると異国船に開港されたばかりの下田港に向けて出港した。静岡の下田港に入港すると、船員たちは1カ月近くも温泉街に滞在し買い物や寺や日本の典型的な木造作りの町並みを闊歩していた。足湯も珍しかったが何よりもアメリカ人の海の男たちをビックリさせたのは、温泉に入ると混浴だったということである。ところ変われば習慣も違う想像も期待もしなかったユニークな日本国内の観光を大いに楽しんだに違いない。その後、5月13日の早朝にペリーが乗船するミシシッピー号は、下田港から函館港に向けて出港した。レキシントン号もしばらくして下田を出発して琉球・那覇港に向かっている。

レキシントン号は、ペリーのミシシッピー号が那覇に来るのを1カ月ほど那覇の港に停泊して待たねばならなかった。その時に事件は起こった。ペリーの留守中に、レキシントン号の水兵ウィリアム・ボードを含む7名が那覇の街に出て、琉球の焼酎である泡盛を飲みすぎ、ボードが酔った勢いで民家に押し入り、そこにいた琉球の婦人を脅し危害を加えようとしたのである。女性の悲鳴で近くにいた琉球の男たちが、逃げ去ろうとするボードに石を投げつけた。更に那覇港沿いの海岸の崖っぷちに逃げたので、それでも男たちの怒りは収まらず追いつめると、ボードは岸の崖から足を滑らせて海に落ちて溺死する事件が起こったのだ。

ペリーは、函館港を出発し、奄美大島の調査も終えて7月1日に那覇に帰ってくると、その不愉快な事件を耳にしなければならなかった。解決のために通詞の板良敷朝忠の力も借りながら取り調べた結果、殺害されたボードに落ち度があると判断され、石を投げた者たちの刑については、若狭町でペリー立会いのもとで裁判が行われた。そして、主犯が八重山へ終身流刑、従犯者5人は宮古島へ島流しの流刑となった。そして、その者たちの流刑は琉球側で執行するように一任された。その後の琉球側の刑の処理は、朝忠を中心に行なわれることになった。

それから、ペリーからの頼みもあって、イギリスの水兵ウィリアム・ヘアーズが眠る同じ「泊の外人墓地」に「ウイリアム・ボード」も埋葬した。その時に聖書を片手に弔いの言葉を述べたのがベッテルハイムであった。

7月11日にペリーは、琉球との条約に関して協議することにした。琉球側は朝忠が通訳を務め、ほぼ神奈川条約に準じて「琉米修好条約」が調印された。その後、1854年7月17日、ミシシッピー号とポーハタン号は、那覇を出航し香港へ向かった。ポーハタン号には、ベッテルハイム一家も乗船した。8年間滞在した琉球をあとにしてベッテルハイムは、ペリーとともに香港を経由してアメリカに渡った。

その後、首里王府は、流刑者になった男たちを八重山、宮古島に流刑を実施した様子がなく解放しているようである。ペリーの遠征記にも「しかし、この判決が厳重に執行されたかどうかは疑問」とあり平和的志向をもつ琉球人の本質をペリーは良く存じていたようだ。それは、後に「ボード事件」と呼ばれ、琉球におけるアメリカ軍人による最初の婦女暴行事件である。琉球王府と薩摩藩の役人たちにとっては、ベッテルハイムにしろ、ペリーにしろ、それまで琉球を混乱させたと二人を目の上のたん瘤《こぶ》と思っていただけに、やっと厄介払いができたと胸を撫でおろして那覇の港から見送ったに違いない。

31　ボーディッチ航海術書の翻訳

江戸においては、「日米和親条約」が締結されると、日本と諸外国との関係が深まってきた。幕府は、積極的に海軍を強化するために、軍艦を購入するのに中国の香港や上海への航海の必要が生じてきた。それで、大型船を操縦できる水夫の人材育成が急務となってきたのである。万次郎は、幕府から水夫育成の学校の教科書となる航海書の翻訳を命じられた。1856年1月、その頃万次郎は、江川太郎左衛門のもとで洋式船の建造に取り組んでいる時期で忙しくしていたが、その傍ら、「ボーディッチの航海術書」の翻訳作業に精魂を傾けた。それは、バートレット学校の航海術のテキストとして使われた実用書で、琉球に上陸した時に持っていた所持品のひとつである。万次郎は、航海技術を日本に伝えることも使命のひとつにあったのでこの本をアメリカから持ってきたのだった。

1857年7月に、「ボーディッチの航海術書」は、『亜美理加《アメリカ》合衆国航海学書』としてついに日本語への翻訳を完成させた。翻訳にあたっては、当時はまだ専門的な航海用語は日本語として存在しないものもあり、新しく日本語の単語を造る必要もあった。この本は、本文と数率表の2巻よりなっていて、筆写したものを20部作り、一部を幕府に献上した。その内容は、原本と同じように数学の+、−、×、÷の記号の意味から説明している。サイン・コサイン・タンゼントなどの高等数学がふんだんに盛り込まれ、図形や数値が使われている英語を日本語に訳されている。また、その日本語訳の航海書のひとつは、1860年に万次郎が咸臨丸でハワイに立ち寄った時にデーモン牧師に一冊寄贈されている。そして、デーモン牧師は、「ザ・フレンド」紙にその事を記事にしている。

『ジョン・マンが、我々にボーディッチの偉大なアメリカの航海書の翻訳本をくれた時、我々の驚きは大変なものであった。数率表のついたこの翻訳本は、ジョン・マンによってなされたものである。忍耐・努力したので彼を3年くらい老けさせてしまったと言っている。そして、20部の日本語訳を作成し、そのうちのひとつを幕府に献上した。それはまだ日本式に印刷されず手書きである。今、我々の前にある

この本は大変見事に完成している。これは最も称賛に値すべきものであって、ジョン・マンが非常に有能な人物であることを明らかに示しているものである』

とデーモン牧師はこの上なく称賛しているのである。

「ボーディッチの航海術書」の本は、万次郎がバートレット校に通い、英語、数学、測量術、航海術、造船技術そして天文学などを学んだ時の教科書として使われた実用書である。後に万次郎が幕府軍艦操練所の教授となり、航海術や造船技術を教える時に、このアメリカの航海術の「ボーディッチ航海術書」がテキストとして授業で使われた。当時は、この本を「航海術のバイブル」と呼ばれ重宝された。

また、咸臨丸で一緒に航海したブルック大尉も日記の中に「ジョン・マンは、『ボーディッチの航海術書』を日本語に訳した偉大な人物」であると賞賛している。同時にこの本に書かれている技術的な内容は、船の位置や陸までの距離などを測量する技術でもあり、日本の測量界における測量技術の発展にも貢献している。

万次郎は、英語と日本語の会話本も書いた。『英米対話捷径《しょうけい》』と名付けた万次郎作の木版刷りポケット版の英会話の本である。当時はまだオランダ語が主流であったため珍

しがられ、貴重な英語の会話本になった。ペリー来航以来、オランダ語から一気に時代は英語の時代に移ろうとしていた。だから、当時のベストセラーになったと言うからそれも決して不思議ではない。

日米和親条約が締結される3週間前の1854年3月10日に、万次郎は団野鉄と結婚した。万次郎は身分も幕府の役人として登用されたので妻《めと》を娶ることが一人前の武士であるべきという事で、江川太郎左衛門が縁談をまとめてくれた。剣術師範・団野源之進の次女で団野鉄というすこぶる活発な女性だった。その頃は、アメリカでの捕鯨経験を生かして函館近海で日本の若者たちに捕鯨技術も指導しなければならなかった。幕府軍艦操練所の教授となり、航海術を講義したり、外洋で実地指導をしながら多忙な毎日ではあった。鉄と結婚して、3年後についに待望の息子である東一郎が生まれると、時間があればできるだけ赤子のそばにいてかわいがろうとした。家庭的にも父親としての自覚をもって仕事も多忙ではあったが家庭を大事にしたかったのだ。そして、我が子の成長を夢見た。アメリカでホイットフィールド船長、ケイス夫人、ヘンリー坊やの家族の中でともに過ごした幸せの時間を思い出した。かつて、そのような楽しい家庭を築きたいと憧れていた事が現実のものとなった。

32　咸臨丸とブルック航海日記

ペリーの日米和親条約締結の結果、１８５６年8月21日に初のアメリカ総領事が設置された。そして、アメリカ大統領から任命されてタウンゼント・ハリスが初代駐日領事として下田に到着した。そして、2年後の7月29日には、品川沖のポーハタン号艦上で、幕府を代表して下田奉行・井上清直《いのうえきよなお》、海防掛目付・岩瀬忠震《いわせただなり》とハリスの間で日米修好通商条約の調印が行われた。その条約批准交換のためワシントンに派遣される日本の使節は、アメリカから差し向けられた軍艦ポーハタン号で行くことが決り、これに伴い日本側からも別艦が随行することになった。その理由としては、徳川幕府はこれまでに習得した航海知識を披露し、或いは実習という意味も含めて太平洋横断をする必要があると考えていた。オランダから購入したばかりの自国の軍艦、自国の船員でもって護衛艦を横浜からサンフランシスコまで随行艦として航海することに決定した。

このような時に、アメリカ測量船フェニモア・クーパー号が横浜港に停泊中、台風が襲来して船は海岸に打ち上げられた。それで、米国海軍士官のブルック艦長はじめ乗組員21人がアメリカに帰国できず帰る便船を横浜で待っていた。

幕府の随行艦の責任者となった木村摂津守は、実際には、不慣れな日本人だけの航海を心配して、航海に熟達したアメリカ人を乗り込ませたいと考えていた。ハリスもブルック一行を帰国させるのに、この随行艦に乗り込ませることを希望していたのでこの話は、どちらにも都合がよかった。そこですぐ話がまとまり、ブルック一行21人の内11人が随行艦に乗船することが決まった。

1860年1月16日にその随行艦を咸臨丸に決定すると、4日後の20日に万次郎もそれに乗船することに一旦決まるのだが、勘定奉行らの評議で万次郎が同行するのに反対の意見も強かった。この時点でも、幕府側の攘夷派は、万次郎がアメリカ側に有利な通訳をしないか、或いはスパイをしないかという疑いがまだあったようである。しかし、咸臨丸の責任者である木村摂津守が再度に渡りそのようなことは断じてないことを幕府に説得してくれたので、万次郎は乗船することに決まった。船の装備の名称や号令は普通の通訳ではできないが、英語を話し、航海も慣れていて、アメリカ事情にも詳しいと

いうことで万次郎が適任であることを木村摂津守は強調したとのことである。

1860年2月10日、遣米使節団のポーハタン号より3日早く、遣米使節の護衛艦・咸臨丸は、軍艦奉行の木村摂津守と艦長の勝海舟を筆頭に、日本人航海士が万次郎を含めて80名とブルック大尉と部下10名の乗組員を乗せてアメリカのサンフランシスコにむけて浦賀を出航した。

そして、37日後の1860年3月17日に太平洋上の航海を終えて、咸臨丸はついにサンフランシスコ湾に碇《いかり》を下ろすことになる。

その航海の報告として日本人の教授方頭取で艦長の勝海舟は、「冬の太平洋は、北西季節風が吹き荒れ狂う海の難所で、出帆後洋中に至ること37日、この内晴天日光を見るわずかに5、6日。その苦難思うべし」として「おれが咸臨丸に乗って、外国人の手は少しも借らないで、亜米利加に行ったのは、日本の軍艦が、外国へ航海した初めだ」と『氷川清話』に談話として語っている。

次に木村摂津守従者として乗船した福沢諭吉は、「日本人開闢以来初の大事業として、決してアメリカ人に助けてもらうということは一寸でもなかった。ソレだけは大いに誇ってもよいことだと思う」と福翁自伝に書いている。また、同じ木村摂津守従者の長

尾幸作は、航海中のことを「実に余出生以来初めて命の戦々恐々たるを知る。衆人皆死色。唯亜人3輩言笑するを聞く」とあり、殆んどの船員が荒波の中を死ぬ思いをしたが、3人の日本人は平気のようで談笑していたとある。

また、木村摂津守従者の斎藤留蔵は、「アメリカ人は、その暴風雨に逢うと言えども一人も恐怖を抱く者なく、殆んど平常に異なる事なく活動をなす。之に継ぐ者は我が士人にて僅かに中濱氏、小野氏、濱口氏3人のみ。其の他は皆恐懼し、殆ど食料を用いる事能わざるに至る」ということでアメリカ人と日本人3人以外は恐怖と船酔いで食事もほとんど食べれなかったことがわかる。

遣米使節の護衛艦・咸臨丸に便乗していたブルック大尉は、一部始終を航海日記として書き留めていた。その『咸臨丸航海日記』は、何故かブルック本人の遺言により、「死後50年間この日記は公開してはいけない」とされ、子孫は長い間公表することを許されていなかった。日記は、ブルックの孫に当たる、バージニア州立軍人養成大学歴史学教授のジョージ・M・ブルック・ジュニア博士によって保管されていた。そして、1960年、日米友好通商100周年記念協会にその日記が提供され、日本で『万延元年遣米使節史料集成第五巻』として刊行された。結局、ブルック船長の遺言に記した50

年どころかその倍の１００年後に日記は日の目を見ることになった。

日記によると、咸臨丸は、出航した翌日から外洋に出ると海が荒れてきた。その荒れた海の中で、これまで沿岸沿いしか航海をしたことがない日本の船員にとって初めての外洋で船ごと波の中に入り、やがて波の頂上に押し上げられ、再び、波間に沈んでいくことを繰り返す中で日本人のほとんどが船酔いになってしまった。しかし、そのような状況でもブルック船長たちにとっては、これぐらいの大しけは驚きもせず、冷静でむしろ余裕が見られ、いざ帆を下げたり上げたりする仕事は、ほとんど便乗していたアメリカ人乗船員でしか対応できてなかったという事である。

結局、当初の日本人だけによる太平洋横断という意気込みと違い、日本人の船員は疲労と船酔いでほとんど行動不能に陥り、咸臨丸の運用は、技術アドバイザーとして便乗していたジョン・ブルック大尉指揮下のアメリカ人船員が代行していたことになる。よって出航した翌日から日本人船員は、早速アメリカ人の助けを借りなければならなかったのだ。残念ながら、木村摂津守と勝海舟は、この大しけによってアメリカ人と日本人の航海経験の差を初めて思い知らされたのである。

しかし、ブルック大尉は、そのような状況でもしっかりと万次郎の動きがほかの日本

ジョン・M・ブルック船長

人船員と違うことに気がついたようだ。つまり、ほかの日本人に交じって万次郎の甲板での働き方がひとつひとつ理にかなった動きをするので余計に目立って見えたのだろう。大勢の日本人が船酔いで飯も食えず、まともに歩くことすらできない中で、万次郎は仕事を淡々とこなし、一晩中眠らず、むしろ余裕すら見えた。アメリカ人のスミスという水夫と仲良くなっておしゃべりをしながら、時折、歌を歌って昔の捕鯨生活を思い出して楽しんでいる姿にブルックは驚いたようである。万次郎は、この荒海がかつてジョン・ハウランド号やフランクリン号に乗って捕鯨をしていた時と変わらず、日常茶飯事だったと懐かしみ、その時に歌った船乗りの歌を楽しんでいたのだ。

実を言えば、ブルック大尉は、万次郎の能力について当初あまり期待していなかったようだ。なぜなら、ブルックの1月29日の「咸臨丸日記」には、「平底漁船で遭難し救助されて、カリフォルニアの鉱山で働いていた男が、どの程度の通訳ができるか疑わしい。自然地理学や航海術などに関連する知識を持って勝海舟艦長にわかりやすく説明で

きるだけの資質が備わった通訳として果たして万次郎に務まるのか」と不安に思っていたようだ。しかし、2月9日の日記では、「万次郎は私が今まで出会った中で最も優れた人物の一人である。彼は、ボーディッチの著書を日本語に訳している。ボーディッチと言えば、天体力学に関する論評を思い出す。万次郎は冒険心に満ちた人物である。彼は、とても話好きであり、私は彼から数奇な漂流生活について是非とも聞きたいと思っている。万次郎が誰よりも日本の開国に関わってきた事に私は満足している」と、ブルック大尉は、万次郎を絶賛し始めているのだ。

つまり、ボーディッチの航海書を万次郎が翻訳できたという事は、数学だけでなく、自然地理学、航海術、測量術、更に天体力学において、万次郎が高いレベルの学力と技能を習得していることを、すぐに理解できたのがさすがに米国海軍士官の地位にあるブルック大尉だったからこそだろう。1月29日の日記では、万次郎について疑惑を持っていたが、10日後には絶賛しているということは、ブルック船長のいかにも人を見る目が鋭いかという事にもなる。幸いにも嵐の海の厳しい状況だったから、万次郎の真の能力と資質が発揮されているのをブルック船長は見逃さなかった。万次郎は、どんな困難な航海の中でも、まるで水を得た魚が久しぶりの外洋で航海を楽しんでいるかのようだっ

た。その後の日記の中でもブルック大尉が万次郎に心を許し、真の友として彼を信じ、本当に困ったときに正しく問題を解決できる日本人として頼りにしていたことがわかる。

30日余りの航海で、日本人の船員たちも太平洋の湾曲に見える水平線の大海原での生活に慣れてきた。そして、徐々にサンフランシスコに近づくのだが、これまでの嵐のために到着の予定が遅れそうだった。艦長の勝海舟も心配になって予定通りに到着する自信がなかった。そこで、万次郎と相談し、それならば「航海上のことを全て任せるならば、予定通りにあの複雑なサンフランシスコ港に入港させることを引き受ける」と万次郎が言ったのである。勝艦長は背に腹は替えられぬとばかりに万次郎に咸臨丸の舵を握らせることにした。万次郎は、久しぶりに外洋で舵を握り、咸臨丸をサンフランシスコ港に向けて進めた。港に到着する前日のことである。万次郎は、航海術、高等数学、測量術を駆使して出した測定結果から翌日の朝にサンフランシスコの山が見えてくることを予測してブルック船長に告げた。ブルック船長がそれを受けてみんなに明日の朝にはサンフランシスコの山が見えると言ったので、みんなは、いよいよアメリカの大陸を見れると喜んだ。しかし、同じように計測した測量士の小野友五郎の計測の結果では、明

日の午前ではなく午後にしか山は見えないだろうと異を唱えた。そこで議論があったのだが、どちらにしろ明日になればわかることだという事で静観することになった。翌日の3月17日の明け方、サンフランシスコの山が霞んで見え、次第に景色がはっきり見えてきた。小野友五郎の出した計算と80キロメートルの誤差があったとのことである。

舵の全てを一任された万次郎は、勝艦長と約束した通り咸臨丸をサンフランシスコ港に予定通りに入港させたので、みんなは大いに喜び「君の卓越なる航海術には実に感服したり」と勝艦長から直々にお褒めの言葉を頂いたという事である。

木村摂津守の報告書『奉使米利堅紀行《ほうしめりけんきこう》』には、「午後1時サンフランシスコのレレヨマチという海岸に投錨」とあり、37日間にわたる4679海里（8573㎞）の多難な航海が終わった。出港直後から荒天に見舞われ、咸臨丸のあちこちに破損が見られ船の修理を必要とした。この日本人による初の太平洋横断の大きな反省として、「当初は組織だった当直体制が確立されておらず、指揮系統の未整頓もあって、荒天下での咸臨丸の運用に大きな支障をきたしたことに間違いない。しかし、無事にサンフランシスコに到着できたことは、大成功と言われ幕府海軍にとって大きな自信になったということも間違いではないだろう」と報告された。しかしながら、日本人船員らの力不足をカバー

してくれた米国海軍士官のブルック大尉をはじめとするアメリカ人船員による助力はその後の日本の歴史の中でも過小評価されている。日本人水夫の航海・運用の技量不足があったことは、言うまでも無いこれまた事実である。

ブルック大尉の日記には、「羅針盤の明かりは消えたが、それが再度点灯されるまで万次郎は舵輪を握り、月明かりだけで見事な操艦を続けていた」とか「本艦に乗り込んでいる日本人の中で日本海軍を変革するために何が喫緊の課題であるか理解しているのは万次郎のみである。私は、万次郎を助け日本海軍発展のため援助を惜しまぬつもりだ」と航海中の万次郎の唯一の味方となってくれた。

万次郎が嵐の中で日本人船員にマストに登るよう強く言ったとき、船員らは万次郎を帆桁に首吊りにすると脅した。するとそれを聞いたブルック大尉は、万次郎に「そのような脅しを乗組員たちが実行に移そうとしたり、日本人乗組員たちに暴動が起こりでもするなら、艦長の許しを得て彼らをすぐさま首吊りにする」と言ってくれた。あたかも日本人船員から万次郎を守ろうとする姿が、ブルック大尉の日々の日記に記録されている。士農工商という身分制度のある江戸時代に、一介の漁師が土佐藩の藩士となり、その後、幕府の直参となった万次郎を本物の武士として認めていない船員の武士たちがい

た。たとえ、万次郎が英語を話せて、航海術を身に着けていようとも本当の日本の武士であることを認めようとしなかった人たちである。アメリカ人のブルック大尉は、身分という体裁だけで実力が伴わなわず、嵐の海も渡れないのは当然なことだと呆れたに違いない。ブルック大尉は、それを察して「万次郎を不条理から守らなければならない」と思っていたのではないだろうか。

何故ブルックは、遺言で日記を50年も公表しようとしなかったのか。もしもブルックの記述した日記がすぐに世間に公表されれば、咸臨丸で武士としてのプライドの高い人たちのメンツを潰すことになるだろうと悟った。そうなれば、一番困るのは万次郎であるとブルックは推測したのではないか。だから、その日記を死後50年は万次郎を守るために世間に出してはいけないと考え遺言に残したのだろう。

事実、咸臨丸の帰国後、船員たちは「外国人の手は少しも借らないで、亜米利加に行ったのは、日本の軍艦が、外国へ初めて航海できた」「日本人開闢以来初の大事業として、決してアメリカ人に助けてもらうということは一寸でもなかった。ソレだけは大いに誇ってもよいことだと思う」と報告され、武士としてのプライドとメンツは保たれた感がある。しかし、事実は違っていた。これまでの咸臨丸の太平洋横断の歴史は、万

次郎の活躍が無視されていた。100年後の1960年にブルック大尉の日記が公表されたことにより事態が変わった。咸臨丸の航海の歴史は真実を証明する歴史的証拠がアメリカで発見され覆《くつがえ》ったことになる。

1860年3月17日、37日間の航海の後、咸臨丸はサンフランシスコ湾に碇を下ろした。陸に上がった船員たちは、自由にサンフランシスコの街中を散策した。闊歩しながら写真屋を見つけると中に入り、ポーズをとって記念写真を写したりした。福沢諭吉は、万次郎に通訳を頼み、一緒に本屋に寄って「ウェブスター英語辞典」を買って満足し悦んでいたとのことである。ポウハタン号が到着したのは咸臨丸が入港してから12日後だった。第23代アメリカ合衆国海軍長官のアイザック・タウシーへの報告の中で、ブルック大尉は、咸臨丸の航海中のいろいろな困難について述べているが、そこには日本人乗組員に対する恨みつらみはなかった。ただ、万次郎については、「並外れた能力を持つ日本人」として褒め称えていた。かくして、万次郎と同じ時代に生き、アメリカ海軍に25年余にわたって勤めた軍人ジョン・M・ブルックの日記や書簡の中で、19世紀日本の歴史における万次郎の重要さが明らかになった。ブルック大尉は、当時の日本にとって万次郎の重要性を理解し、彼の真の実力を知るアメリカ人の一人であった。ちな

みに、1976年アメリカ建国200年祭において、1776年の独立から第一次世界大戦までの間に外国人としてアメリカの歴史に影響を与えた人物の遺品を展示し「海外からの米国訪問者（1776年～1914年）」展示会がワシントンDCのスミソニアン博物館で開催された。アメリカに来た外国人で自国とアメリカ相互に大きな影響を残した個人28人と1団体を発表し表彰された。その時にアメリカ合衆国が選んだ日本人は「中濱万次郎」であった。万次郎がなくなって78年後にアメリカが選んだ偉大な日本人が万次郎だったのである。アメリカと日本の懸け橋として活躍した万次郎の功績が高く評価されたことになる。

第8章　最後の仕事

33 薩摩・土佐藩へ出向

万次郎は、咸臨丸で帰国すると幕府より僅《わず》かばかりの褒章を受けたが、3カ月後に軍艦操練所の教授方の仕事を辞めさせられた。横浜に宿泊していたアメリカ船の船長に招かれ、幕府への許可なく勝手にその船に乗船し訪問したことが解雇の理由だった。幕府内の外国との通商に反対し、鎖国を維持したい攘夷論者は、欧米の文化を言いふらしている万次郎に反感を抱き、また、臆せずアメリカ人と親しく話すことも気に入らなかった。そこで、万次郎を背後から監視していた者の訴えで、上司への伺いなしの行為を理由に、操練所を辞めさせられた。

しかし、万次郎は職に困らず、自宅でも「中浜塾」と呼ばれる私塾で大山巌、榎本武揚、大鳥圭介らが学んでいた。また、翌年の1861年1月には、幕府が外国奉行の水野筑後守忠徳を団長とする小笠原諸島の開拓調査に万次郎が適役だったため謹慎中では

あったが再び咸臨丸での同行を命じてきた。久しぶりの大海原での捕鯨漁に万次郎は興奮した。その上、その開拓調査を踏まえて小笠原近海には鯨が多く日本も捕鯨をすべきだと推奨した。そこで、幕府は、全国に日本近海の捕鯨を奨励し、ここで初めて万次郎の念願だった捕鯨が日本の水産事業のひとつとして幕府が認めてくれたことになる。

1863年6月、万次郎を船長とする壱番丸が小笠原の父島に住んでいた外国人を雇って近海で捕鯨をした時の事である。父島で雇い入れたウイリアム・スミスという者が、船の備品を盗んだり、ピストルを手に船の荷物を強奪しようとしたので、万次郎が手錠をかけて横浜まで護送しアメリカ領事館に引き渡した。これは、日本人が初めて国際条約に基づいて外国人を逮捕した事件となった。アメリカ捕鯨と金鉱採掘の殺気立った危険な環境で鍛えられた男・万次郎であったことを証明した出来事でもあった。

1864年5月になると、薩摩藩は、幕府に頼み込んで幕府の役人である万次郎を3年間薩摩藩に派遣してもらい、船員を育成するために教授方としてどうしても万次郎を必要とした。それは、その年の1月に薩摩藩の船員によって航行していた蒸気船「長崎丸」を修復するため、兵庫から長崎に向かっている途中で長州藩の長府台場より異国船と間違えられて発砲された。それで直ぐに、白野江村に引き返そうとするが船は沈没

し、士官9人、機関士19人が行方不明になった。薩摩藩は、優秀な航海技術を持った士官を失い、早急に航海の知識・技術を持った士官を養成する必要があった。そこで、士官を養成する教官として万次郎に白羽の矢を立てたのだった。

万次郎が薩摩に招聘される2年前の1862年の薩摩において、生麦事件が原因で薩英戦争が起こった。その時の薩摩藩の旧式砲の4倍の射程距離を持つアームストロング砲などイギリス海軍の軍事力を薩摩藩は初めて知らされた。集成館、鍛銭所や鹿児島城下町の一部が火事で焼失されたこともあり、藩内に無謀な攘夷を反省する機運が生まれた。この戦争の終結後に持たれた講和会議は、薩摩が幕府から2万5千ポンドを借りて賠償金を支払い、イギリス側も薩摩藩の軍艦購入を仲介で世話するなどの条件で成約した。その後、薩摩藩とイギリスの関係は急速に密接となり、薩摩藩のイギリス留学生派遣なども実現できるようになった。よって、薩摩藩の開成所は、航海技術を持つ士官の養成も目的だったが海外留学生の養成機関でもあったのだ。つまり、薩摩は万次郎に航海術の教授と海外留学生への英語指導を期待したのだ。その頃は、薩摩藩の政策として、国産物による外国との貿易により利潤を上げ、国を富ませること、そして、イギリスやフランスに留学生を送り、さらに軍艦や銃器などを買い付けて、他藩の諸侯が着手

しないうちに早めに取り掛かるべきだと考えていた。それらの薩摩藩の目論見もあって、1864年11月から万次郎は、薩摩藩の開成所教授に就任し、航海・測量・造船・英語の教授として働くことになったのだ。3年間の期限付きで派遣吏員として出向するがその期間中の給料は、当然に薩摩藩が支払うことになる。薩摩にとってもその契約期限が過ぎれば、万次郎を幕府に返さなければならないので雇用する必要もなく都合がよかったようだ。

土佐藩は、万次郎が薩摩藩との契約期間の途中ではあったが、藩主・山内容堂の命で部下を水面下で使って薩摩の役人に頼み込み、ついに薩摩藩主・島津久光の許可を得て、万次郎を一時期だけ高知へ里帰りさせてもらった。そのお陰で、万次郎は、1866年1月23日には、故郷の土佐に戻り母のいる中ノ浜を訪ねることができた。帰国直後は、3日間の中ノ浜での滞在であったが、今回は、万次郎にとって帰国後はじめてゆったりと3カ月近くも77歳の母と生活を共にし、兄弟とも水入らずで語り合った。親せきや友人とも楽しく過ごすことができた。

その後、土佐藩主の命で再び高知に呼び出された。その頃、土佐藩に高知開成館という学校ができたので、藩主としては、その学校の教授としてどうしても万次郎に来ても

らいたかったのだ。それが、土佐藩主の万次郎を土佐に呼んだ最大の理由であった。3月25日に中ノ浜を出発して、30日には高知に着いた。そこで、土佐藩の開成館教授となり、しばらく英語や測量術、航海術を土佐の若者たちに教えた。その頃の高知の城下において万次郎は、元漁師だったものが早い出世をしたということで評判であり、立身出世の英雄としてみんなから尊敬されていた。江戸へ呼ばれ幕府の幕臣になる前に、高知で世話になった友人に当時の礼としてお金を贈ったり、既に亡くなっている場合は、遺族へ香典として金を渡し、当時、困窮して酒屋で雇われていた友人には、羽織を買ってあげた。そのような万次郎の恩を忘れない一挙一動の思いやりの行為が城下町では評判だった。

土佐藩主・山内容堂

土佐藩も外国船を上海で予算的にも安く立派な船を短い期間で買いたいと考えていた。そこで、万次郎を使って1866年8月には、藩主の命で臣下の後藤象二郎とともに上海に渡り、帆船「夕顔丸」を買い付けてきた。

翌年の1867年には、再び万次郎は、薩摩藩に戻され、再び航海術や英語を鹿児島

の開成所で教えた。このように万次郎は、薩摩に招聘され、土佐に呼ばれ、長崎へ行くと、そこから上海での軍艦購入などで多忙な毎日を過ごしていた。幕府も、西南雄藩も、富国強兵を唱え大型船に詳しい万次郎の豊かな知識と経験を重宝し、まさに時代が万次郎を必要としていたといっても過言ではなかった。万次郎は、そのように技術者としての生き方を受け入れていた。今以上の地位も名誉も求めようとせず今、自分ができること、自分がすべきことを一生懸命するだけだと使命感を持って生きていた。それが、万次郎にとって自然なスタイルだったのだろうし、生き方としての美学だったのだろう。

一方、そのころ京都では、佐幕派と討幕派の争いが激しくなり、薩長同盟を成功させた坂本龍馬が暗殺されるなど多くの志士が殺害された。幕末動乱の時期を迎えていたが、万次郎は、この時期を土佐藩と薩摩藩の依頼で教鞭をとり、鹿児島、土佐、長崎、そして上海の間を行ったり来たりしながら外国船購入に奮闘している頃だった。幸いにも激動の京都の地から離れていたため、血生臭い危険な戦場にはいなかった。それは、幸いだった。

34　ホイットフィールド船長を訪問

1867年の幕府の大政奉還を受け、王政復古によって1868年明治新政府が発足した。これまでの幕府体制を終わらし天皇親政を基本として、官民一体の国家体制を築き、欧米列強に追いつくことを国の方針とした。新しい時代の到来で江戸が東京となり、明治の新しい時代が始まることになる。万次郎は、江戸幕府から明治新政府になってもこれまでの実績からその実力と能力を必要とされた。最初の仕事として、東京大学の前身である開成学校の英語第2教授として採用され教壇に立った。1870年には、普仏戦争視察団の通訳として英語力を買われ、新政府に大山巌らとともにヨーロッパ出張を命じられた。

9月23日午後2時、アメリカの外輪蒸気船グレート・リパブリック号で横浜を出航し、万次郎にとって咸臨丸の航海から数えてちょうど10年が経過しての太平洋横断で

あった。「ゴールドラッシュ」「咸臨丸」そして今度の「ヨーロッパ視察」が3度目のサンフランシスコの港である。そこで船旅の疲れをとるため3日滞在した。そして、10月20日には、1869年に開通した出来立ての大陸横断鉄道でニューヨークを目指した。カリフォルニア州サンフランシスコから川を蒸気船でサクラメントへ移動した。そこからセントラル・パシフィック鉄道でユタ州に向けてシエラ・ネバダ山脈を越えなければならない。この鉄道の線路は主に中国人の苦力たちによって建設されたものである。サクラメントからシエラ・ネバダ山脈を越えてネバダ州のリノを横断した。そして、ユタ州に入るとソルトレークのプロモントリーサミットでユニオン・パシフィック鉄道と連接した。これまで、万次郎は、アメリカの東海岸と西海岸しか行ったことがなかったが初めて北アメリカ大陸の中央部を通り、ネイティブアメリカンのアラパホ族やシャイアン族のインディアンと野生のバッファローが住む大平原を横断したことになる。ワイオミング州のララミーやシャイアンを通過してネブラスカ州のグランドアイランドを過ぎるとやがてユニオン・パシフィック鉄道の連接点であるオマハに到着した。当時のオマハは、アメリカでも仲買や卸売業や精肉業で栄えた「西部への玄関口」とも呼ばれた街であった。そのオマハから連接されたシカゴ・アンド・ノース・ウェスタン鉄道でシカ

ゴに向かった。シカゴのホテルで1泊して、翌日、ニューヨークへ行く途中でカナダとアメリカの国境にあるナイアガラの滝を見学した。豊富な水量と豪快な流れを眺めながら、同時に水しぶきも飛んで世界の三大滝の一つと呼ばれるだけにその迫力と絶景のパノラマに感動した。

ニューヨークのホテルに到着したのは、10月28日だった。11月2日にはイギリス行きの船で大西洋を横断することになっていた。その出発までの5日間はニューヨークに滞在することになるが、その時に、万次郎は、この期間に念願のホイットフィールド船長の家を訪問できないか、汽車や船のあらゆる交通機関での可能性を調べ始めたのだ。21年ぶりにホイットフィールド船長を訪ね再会を果たすチャンスは今しかないと考えた。

かつてフランクリン号での航海を終えて、万次郎は、ホイットフィールド船長と将来について相談したことがある。その時に、日本への帰国の資金を作るためにゴールドラッシュのカルフォルニアへ行くことを決断した。しかし、その時は、カルフォルニアで稼いだ後、ハワイを経由して日本に帰ることはまだお互いにとって想定外だった。どちらかと言うと、一旦ゴールドラッシュのカルフォルニアからフェアヘーブンに戻って来るというのがお互いの認識だったようだ。ところが実際には、万次郎は、戻ることとな

く、直接カルフォルニアからハワイに渡ったことで、船長に多大な世話になっていたにも関わらず、きちんとした別れの挨拶やこれまでの恩恵に対して十分な礼もできずに日本に帰ってきたのだ。確かに、ハワイから琉球に向かう直前に船長へお礼の手紙は出したのだが、まだ、面と向かい自分の声で心から感謝の言葉を伝えてなかった。万次郎は、その後ずっと自責の念に駆られ心残りであっただろう。だからこそ、この機会に船長に会って、これまでの心残りを解消するため、男としてのけじめをつけたかったのである。

10月29日には、フェアヘーブンとニューヨークを往復するルートの可能性を調べていた。いよいよ万次郎の得意な冒険が行動に移されようとしていた。ホテルで同室の林有三に密かにフェアヘーブンに住む船長を訪問する話をした。10月30日の朝8時、万次郎は、ニューヨークを汽車で出発しボストンで乗り換えてその日の午後にニューベッドフォードに到着できた。そしてニューベッドフォードからフェアヘーブンへと急ぎだったので、馬車を借りきって、船長に夕暮れに会うことができたのだ。船長とケイス夫人は、事前連絡も無しで玄関に急に現れた万次郎を見てまるで夢を見ているかのように驚いた。万次郎は船長に強く抱きしめられた。そして、ケイス夫人も涙しながら優しくハ

グをしてくれた。お互いの話は尽きず、久しぶりにケイスのアメリカ料理を御馳走になり、食事が終わると翌日の朝まで、眠ることも忘れ万次郎は、その後の万次郎に起こった出来事を細かく船長夫妻に語った。二人は、日本政府の役人として立派に人のために役立っている万次郎をみて大変誇らしく思った。翌朝に近所の友人たちも訪ねてくれたので久しぶりに昔の話に花を咲かせ楽しんだ。そのような時ほど、時間が経つのが早く感じるもので、午後4時頃には、ニューベッドフォード駅から汽車に乗らなければならなかった。その時間が来たので、馬車でニューベッドフォードの駅まで船長夫妻に送ってもらい、そこから汽車でフォールリバーまで移動した。駅から近くにある港へ徒歩で移動した時にはすでに夕暮れになっていた。フォールリバー港からニューヨーク行きの外輪蒸気船に乗船し、後は、朝まで船中でゆっくり休むことができた。そして、シナリオとおりに早朝にニューヨークに戻ることができた。同室の林有三の日記には、「(午前)9字(時)中浜氏帰る」とある。まさに「滑り込みセーフ」だった。

時間の制約もあり、厳しい旅程だったと思うが、万次郎の綿密な計画と思い切った判断が功をなした。お陰で船長に会って面と向かい世話になったことのお礼も言ってちゃんと別れの挨拶ができたことでこれまでの心残りがすっきりと解消できたのである。い

かにも万次郎らしい。その再会の時、万次郎43歳、船長65歳でこれが2人の最後の対面となった。そして、翌日の11月2日には、何事もなかったかのように、誰にも迷惑をかけることなく予定通り視察団に合流し、公務に戻ってイギリスへ出発できた。

使節団は、ニューヨークから英国船ミネソタ号で北大西洋を横断し無事にイギリスのロンドン港に到着した。しばらくイギリス滞在した後で、万次郎は、通訳としてフランスとドイツに視察を予定していた。しかし、ロンドンで足部に潰瘍を患い、リューマチの痛みもあったため病院で診察することになった。思っていた以上に、医者の診断は厳しいものだった。そのまま仕事を続けることは、視察団の行程に支障をきたす可能性があった。それを心配し帰国することが最善であると判断して日本へ帰ってきた。結局、万次郎にとってこのヨーロッパの出張が最後の公務となったのである。

その後、日本に帰り足の潰瘍も回復して再び仕事をしようとしたが、明治4年45歳で突然、軽度の脳溢血をおこし、一時は言語障害や下肢の麻痺があり病床に就いていた。幸いにこれも数カ月で歩行できるようになった。その後は、もっぱら東京の深川砂村の屋敷で静養することにして自宅療養に専念した。老後の住まいは、土佐藩主の山内容堂から賜《たまわ》った江戸深川砂村の土佐藩下屋敷跡での療養であった。7千坪の広大な敷地でリ

ハビリをしながら釣りなどを楽しみながら静養していたようである。

波乱万丈の人生を送った半生に比べ、万次郎の余生は、静かなものだった。療養の傍ら体調がいいと鎌倉の別邸に行ったり、故郷の中ノ浜に帰省して老母に会って親孝行をしている。

1879年（明治12年）に流行したコレラで最愛の母である「志を」を87歳で亡くした。1884年（明治17年）の夏には来日したハワイのデーモン牧師夫妻と再会を果たしたのだが、牧師は翌年の2月にはホノルルにおいて71歳で没した。1886年（明治19年）には、フェアへーブンの家で恩人ホイットフィールド船長が82歳で亡くなった。万次郎が50歳代になって3人の大事な人を惜しくも亡くした。万次郎は、彼の才能を見抜いてくれた恩人ホイットフィールド船長とホノルルのデーモン牧師との素晴らしい出会いに改めて感謝し彼らの冥福を祈った。

明治の新しい時代は、多くの若者がイギリス、フランス、ドイツそしてアメリカへと新しい日本の礎《いしずえ》を築くべく、欧米の社会の仕組みを学ぶために派遣された。そして、欧米並みの国づくりが進んでくると、自由民権運動など民主主義の根源となる人権や自由、平等の世界へと日本は目覚めていこうとしていた。万次郎が見たアメリカ社会とく

らべると、まだまだほど遠い明治の世の中だっただろうが、多くの若者たちが世界へ飛び出すのをみて、素晴らしく変わっていく日本に思いをはせていたことだろう。真の民主主義の成長を期待しながら万次郎は自分の役割を終えたかのように歴史の表舞台から静かに去り、家族に囲まれて悠々自適な老後を過ごしていた。

晩年は穏《おだ》やかな時間を日々過ごす中で、明治31（1898）年11月12日、東京・京橋に住んでいた長男で医師である東一郎宅で、子や孫たちに見守られ享年71歳の波乱万丈の中にも探究心と使命感に満ちた人生を終えた。

糸満市大度海岸に立つ、琉球上陸時の万次郎象

35　琉球上陸の地に立つ万次郎

万次郎は、琉球の小渡浜に上陸した時、アメリカ民主主義が書かれた『ジョージ・ワシントン伝記』と、当時、海に囲まれた日本にとって重要な大型船を動かす技術となる『ボーディッチの航海書』、実用航海術が書かれた本を持ってきた。

何度も死ぬ思いを経験し、それでも死ぬことなく万次郎は生かされてきた。生かされていることに気づくと、使命感を持って、残り生かされている時間に生きる意味を見出そうとした。そして、命の恩人であるホイットフィールド船長と友人の捕鯨船員たちのために、薪水や食料など命に関わる事態に助けることができる日本国であってほしいと思っていた。日本人として生まれた一人として、鎖国の封建社会を終わらせ、世界に開けた民主主義国家の日本であってほしかった。鎖国の時代に海外で学んだ万次郎は、「開国」に向けて強い使命感を持って生きた。その使命感の象徴として『ジョージ・ワシン

トン伝記』と『ボーディッチの航海書』をしっかり脇に抱えて上陸したのである。琉球上陸の地である糸満市の大度浜に立つ万次郎像は、太平洋を背景にして水平に指す右手は、生まれ故郷であり10年も沙汰なく帰りを待つ母親の住む土佐を指している。世界に開けた新しい日本の国づくりへの使命感が漲《みなぎ》り、どんな強い風が吹こうとも揺るがないほどにたくましく、更に一歩踏み込んで前に進もうとしている。この生きる姿がそのまま未来の若者の姿であってほしいと願いたいものである。

万次郎がアメリカで学んだ学問や技術はその後の日本にとって重要なものばかりで、それを惜しげもなく近代日本の建国に尽力し活躍したのが「中浜万次郎」という当時の日本が最も必要としたひとりの男だった。

生かされていることに感謝し、使命感を持ち続け、友情を大切にした男、その生き方はこれからも日米の懸け橋となり多くの人々に勇気を与えつづけるにちがいない。

【追記】

中濱万次郎の生き方に共感した男・中村嘉寿

中村嘉寿は、1880年（明治13年）11月6日に鹿児島県川辺郡西南方村（現在の南さつま市）に生まれた。20歳になった中村は、1900年（明治33年）の4月11日に鹿児島県平民として水産講習所（「東京水産大学」の前身、現在は、「東京商船大学」と統合して「東京海洋大学」）の第3回傳習生卒業證書授与式において大日本水産会・会頭彰仁親王殿下御名代のお言葉を頂く式典の中、トップで表彰授与され卒業している。中村は、卒業後すぐにアメリカに渡り、ニューヨーク大学の商科と大学院の両方に籍を置いて働きながら学んでいた。

1902年（明治35年）にマサチューセッツ州ニューベッドフォードに出かけて、当時実力のあったヤング兄弟会社の社長に捕鯨船員になりたいと頼むが、「捕鯨船の水夫は、ごろつきやならず者が多いのでやめておけ。あなたのような教育をするものがやる

仕事ではない」と言われ、そこで捕鯨船員になることはあきらめたが、それでも捕鯨業を学びたくて捕鯨銃の制作者フランク・イーベン・ブラウンの製作所を訪ねて捕鯨銃の見習工として雇ってもらうことになった。

フランク・イーベン・ブラウンの叔父であるイーベンザー・ピアース（Ebenezer Pierce Brown）は、地元でも「ピアース ボン ランス（Pierce Bomb Lance）」の名でよく知られている「ピアース捕鯨銛銃」を開発した人である。フランク・ブラウンは、叔父の「ピアース捕鯨銛銃」会社を引き継ぎ、捕鯨業の専門家としても知られるようになった。ニューベッドフォードにある彼の工作所は、捕鯨歴史の博物館のようなものであったようだ。

中村嘉寿は、見習中に見本の捕鯨銛銃を1丁買って日本の水産講習所に送った。卒業しても母校の役に立つことを積極的に考え、活動していたようである。中村嘉寿は、捕鯨の専門家でもあったブラウンを「アメリカの父」と呼ぶくらいに親しくなり尊敬していた。

そのころ、フランク・ブラウンは、隣町のフェアヘーブンに住むホイットフィールド船長の息子であるマーセルス・ホイットフィールドに中村嘉寿を紹介した。そこで初め

て、中村嘉寿は、50年前にフェアヘーブンに住むホイットフィールド船長に愛された若い日本人の話を聞かされたのである。その少年の名前は、ジョン・マンと呼ばれ、当時は捕鯨船員の中で最高の男であったと称賛されていたと言う。その後も、中村嘉寿は、万次郎の遭難した時の話から、捕鯨船員として世界の海を航海し、ゴールドラッシュ、そしてハワイから仲間と一緒に琉球に向かった話を初めて聞き大いに感動し、元気をもらった。そして、その後もブラウン家族、ホイットフィールド家族とも親しくして連絡を取り交流を続けた。

ところで、中村嘉寿が乗船を熱望してヤング社長に交渉した捕鯨船は、その航海中にアフリカ沿岸で沈没したというニュースが入った。本人は、「実に奇跡というほど、私は幸運児である」と思ったという。中村嘉寿について、さらに調べていくと万次郎のように何度か死んでいてもおかしくない危険な経験をするが正に「私は幸運であった」と思い、生かされている自分を自覚する経験をしている。例えば、彼の著書である『世界を日本に』に書かれているが、ロサンゼルスからメキシコに旅行した時に乗るべき汽車に乗り遅れ、仕方なく次の15分後の汽車に乗るが、アリゾナ州に入ると汽車が急に止まったそうである。その理由が、乗るはずだった前の列車が崖崩れに乗り上げて事故を

起こして転覆し多くの死傷者がでたという事だった。中村嘉寿は、その時にも九死に一生を得る経験をしたのだ。

1875年（明治8年）に中村嘉寿の祖父嘉兵衛が大和船の船長で、嘉寿の父源次郎も15歳にして船の炊事係をしていた時にその船が嵐に遭って遭難したのだ。暴風雨の中で船が破損して漂流していた。船も沈みかけて、さすがに親子は、生死をさまよいながら死を覚悟した時だった。偶然にも大型の外国船が目の前に現れ救助されたという体験をしている。嘉寿は、この実話を父から直接聞いている。もちろん、その時に外国船に救助されず、父が死んでいたら中村嘉寿は、この世に存在しなかったことになる。万次郎と類似した運命を感じる。嘉寿は、この話から「如何なる場合にも決して絶望してはいけない」と父に教えられ、その教訓が嘉寿の不撓不屈の性格を作ったと信じていたようだ。

中村嘉寿は、フランク・ブラウンとマーセルス・ホイットフィールドからジョン・マンの話を聞いて感動し、これも何かの巡りあわせの縁でフェアヘーブンに招かれたと思ったに違いない。その後、万次郎の生き方に共感し、ホイットフィールド船長との交流から日米の懸け橋となることを意識し始めたと思われる。それは、嘉寿にとってアメ

リカの父と呼ぶフランク・ブラウンへの恩返しの意味もあったのだろう。

中村嘉寿は、ニューヨークに戻り『日米週報』の新聞記者と法律事務を営んで同胞を助けながら、1904年に起こった日露戦争中も義捐金を募集するなど日本人学生たちの世話をしていた。大学を卒業するとマスターオフアーツ博士号の学位を取得し、その後もしばらくアメリカに残り新聞記者としてアメリカに滞在していた。

1905年（明治38年）、日露戦争で日本が勝利し、アメリカ合衆国大統領セオドア・ルーズベルトの斡旋によって、講和条約がアメリカ・ニューハンプシャー州ポーツマスで調印されたが、その時に、中村嘉寿は、新聞記者として取材をしている。そして、日本だけでなく彼の新聞記事は、ニューヨーク紙とボストン紙にもトップで掲載されその分野のアメリカ人からも優秀な報道記者として有名になっていたようだ。

ポーツマス講和会議は、1905年8月1日より17回もポーツマス海軍造船所で会議が持たれ、9月4日に日本とロシアの代表者が調印している。その内容を中村嘉寿は、早急に新聞記事としてボストン及びニューヨークの各主要新聞に掲載すると、その足で9月15日にニューベッドフォードに寄っている。その日付は、ニューベッドフォードの新聞の掲載日で確認できる。中村嘉寿が訪ねた時に地元の新聞記者にとって嘉寿はすで

に有名人だったので、嘉寿とフランク・ブラウンのツーショットの写真を写した。その時の写真が、最近ニューベッドフォード図書館で発見された。その写真の日本人は、万次郎ではないかということでアメリカからニュースとして入り「中浜万次郎国際協会」を中心に調査した経緯があった。しかし写真や各種専門家の分析で、どうも万次郎ではなさそうだと思っているときにその謎の写真に写っている2人はフランク・ブラウンと中村嘉寿であると地元歴史研究家のクリス・リチャードとカール・シモンズが説いている。クリスは、フェアヘーブン観光センター兼博物館で所長の役職にいる歴史の専門家でもある。

1912年（明治45年）中村嘉寿は、12年間過ごしたアメリカを引き上げ日本に帰ると、福徳銀行・輸出水産会社・内外水産会社専務取締役を務めながら日本の産業界で活躍した。1924（大正13年）の第15回衆議院議員総選挙に鹿児島県の選挙区から出馬し当選。第17回から第19回まで連続当選を果たした。太平洋戦争が勃発した時期の国会議員でもあった。政界にデビューすると本格的に日米の懸け橋となり平和事業を続けている。フェアヘーブンスター紙の記事に、「中村嘉寿は、アメリカ国の確固とした友人である。その友情の証として中村は、毎年日本からアメリカへ学生を派遣する事業を支

援している。今年も学生海外見学団を組織してアメリカに自腹で学生の経費を負担して引率している」と書かれている。

1928年8月18日のニューベッドフォードマーキュリー紙に書かれた記事は印象的である。「中村嘉寿は、昨日の賛美の言葉を通して、今日の物質主義の中で失われつつある感謝の気持ちを育てるという美徳を感じ、日本の若者にその美徳を育成するのにいい経験をさせてもらった。私たちは、日本の若い人たちをジョン万次郎が短期間を過ごしたこの土地に引率し交流のための訪問とする、そうすることによってお互いが知り合い、友好的になることを強く主張したい」と提案した。さらに、「孤立する人たちは、時に払拭されたり、知人に不公平であることが指摘されたりすると独自の偏見と理論を得ようとする。もし、個人的な知り合いがいて、現在の国際連盟が提供するような色んな国の代表者同士で連絡が取れたりすれば、第一次世界大戦はおそらく起こらなかった」と。「今回訪問した日本の若者たちは、フェアヘーブンで権威のある人たちの歓迎を受け、感化されやすいこの時期に大きな感銘を受けたであろう」と新聞記事に書かれている。

そのような日本から重要な旅として位置づけニューベッドフォードやフェアヘーブ

平和使節団

ンを訪問することは、中浜万次郎とホイットフィールド船長の心温まる友情がいつまでも続くようにと願っていた。そして、日米の懸け橋として次世代の若者たちに継承されてほしいという思いが伺える事業である。中村嘉寿は、世界の平和を求める政治家として使命感を持って生きていたようだ。国境を越えて友情を大切に生きた中浜万次郎の生き様に共感した一人の男だと思って間違いはないだろう。

１９４０年にホイットフィールド船長の４代目に当たるウィラードが母マリー・ルイス、船長の孫娘アリー・オメイ嬢とともに来日した。その時は、万次郎の長男東一郎の妻である芳子夫人、３代目の清夫妻が一家を挙げて歓迎した。戦後、昭和51年に明らかになるが、ウィ

ラードは、ルーズベルト大統領の親戚にあたり、事前に大統領から戦争回避のための特命を受けて来日した「平和使節」であったという。その時、ウィラードは、東洋文化大学の夏季セミナーで講演するという目的で来日したことになっていた。7月8日には、中浜家、清夫妻主催の盛大な歓迎晩餐会が帝国ホテルで行われた。その晩餐会の目的は、日米両国の親善・平和を願い、日米開戦を回避するためだったが、残念ながら翌年の1941年12月8日にハワイ・パールハーバーにおいて日本海軍の攻撃により太平洋戦争に突入した。結局、戦争回避の最後の努力も水の泡となってしまった。

その時の帝国ホテルでの集合写真が残っているが、前列中央にグルー駐日大使夫妻、その後ろに立っているのが3代目の中浜清とはな夫人、清の左手側に立っているのがホイットフィールド船長の4代目でウィラード・ホイットフィールド、そして、ウィラードの左手側に立っているのが中村嘉寿である。ちなみにウィラードが講演した大学「東洋文化大学」の創設者は中村嘉寿である。その時の嘉寿は、鹿児島県選出の衆議院議員も務めながら、学生海外見学団を主宰し、海外より学生・教師を招いて日本文化の紹介に努めていた。それからしても、日米交流の立役者として日本側の「平和使節団」の受け入れを陰で支えていたのが中村嘉寿だったと思っても不思議ではない。

中浜万次郎と中村嘉寿の2人は類似体験として、一度は母国を出て、アメリカから日本を見ることの重要さ、さらにもっと大切なことは、外国で学んだ素晴らしいものを母国へ持ち帰り、新しい日本を築くことに貢献していたことになる。きっと、万次郎も草葉の陰から中村嘉寿を応援していたであろう。そして、万次郎は、多くの若者たちに異文化体験を推奨し、国際交流の必要性と平等で平和な世界を築くために使命感を持って生きる中村嘉寿を見守っていたに違いない。

2015年4月末にニューベッドフォード自由公共図書館で発見された日本人と白人男性の1枚の写真にこれだけのストーリーが秘められていたことになる。この謎の写真に写っている日本人が、誰もが万次郎ではないかと推測もした。しかし、結果として、確たる証明ができず時間だけが過ぎていた。そこで、フェアヘーブンの歴史研究家

によって中村嘉寿という別人であることに落ち着こうとしている。嘉寿は、万次郎の生き方に共感した次の世代の若者であった。その若者が日米の懸け橋となり太平洋戦争の戦争回避に尽力した男であったと万次郎関係者でも予想できない展開となり驚きであった。この1枚のミステリアスな写真の正体が万次郎と関わりがある真実の劇的なストーリーになろうとは誰が想像できたであろうか。

あとがき

「ジョン万次郎」との出会いは、かれこれ30年前に、糸満市広報に掲載された島袋良徳先生の「ジョン万次郎物語」だった。私も米国から帰国して間もなかったので、万次郎という人物にすぐに関心を持った。生まれ育った糸満市の地に上陸した人ということでさらに親しみを持った。

気づけば万次郎生誕地の高知県土佐清水市の「中ノ浜村」から、ハワイのオアフ島、マサチューセッツ州「フェアヘーブン」と「ニューベッドフォード」、ナンタケット島、カリフォルニア州「サクラメントの金鉱跡地」、薩摩藩の「尚古集成館」、「長崎奉行所跡」、東京の「土佐藩下屋敷跡（現在の江東区北砂小学校）」、そして、万次郎が眠る「雑司が谷霊園」と万次郎の生きた土地に足を運び、その場の持つ空気や雰囲気を感じてきた。その空気の中に身を置いて考えることが大事だと思ったからだ。

万次郎の生き方に共感し彼の生き方に憧れてしまった。ひとりの人間として、今のこの時代に生きていることの意味を考えながら、何をすべきなのか、時に万次郎に問いかけている自分がいた。時代は違えどもその時代の中で、今、やるべきことが人それぞれにあると思っている。多くの若者がそれに気づき、今を生かされているこの時間を、悔いの無いよう生きられたらいいと思っている。

この作品を書くにあたっては、多くの資料及び文献を参考にさせていただきました。それらの資料や文献を作成され、発表された方々及び取材に応じて資料をご提供してくださった方々、特に英字新聞「THE FRIEND」のコピーを提供していただきました慶応義塾大学文学部川澄哲夫元教授には貴重な資料をいただき心から感謝を申し上げます。また、中浜万次郎直系4代目の中浜博氏が奥様と一緒に大度海岸を訪れた時、私に地域の歴史研究家の重要性を説き、激励をいただいたことも原動力となり、この本を書き終えることができました。感謝申し上げるとともに今は亡き博先生にこの本を捧げます。

友人である写真家・大塚勝久氏には、新月の夜空に流れる天の川と最高に映えた満点の星をバックに立つジョン万次郎像の写真を提供して頂きました。心より感謝申し上げます。

最後にこの本の発刊に当たりお力添えを頂きました琉球新報社の松永勝利局長、新星出版の久保田秀樹社長に心より謝申し上げします。

神谷良昌

【参考資料】（順不同）

古文書

「土佐国漂流人申口聞書」
「球陽」
「島津斉彬文書」

刊行書

「中濱万次郎―『アメリカ』を初めて伝えた日本人」中濱　博（冨山房）
「ライマン・ホームズの航海日誌・ジョン万次郎を救った捕鯨船の記録」訳　川澄哲夫
「中浜万次郎集成」監修　鶴見俊輔・史料監修　中濱博・編著　川澄哲夫
「黒船異聞」　川澄哲夫
『漂巽紀略』河田小龍　訳　谷村鯛夢　監修　北代淳二
『漂巽紀略』河田小龍　大津本　高知県立坂本竜馬記念館
「中濱万次郎の生涯」中浜　明（冨山房）
「ジョン万次郎漂流記―運命へ向けて船出する人―」エミリー・Vウォリナー/宮永孝　解説・訳
「大琉球国と海外諸国」山口栄鉄

「通詞　牧志朝忠の生涯」長堂英吉
「ジョン万次郎と牧志朝忠」伊波興健
「琉球と琉球の人々」琉球王国訪問記　ジョージ・スミス　訳：山口栄鉄　新川右好
「英人と大琉球　来琉二百周年を記念して」山口栄鉄
「集成館事業　島津斉彬の挑戦」尚古集成館
「おきなわ歴史物語」高良倉吉
「沖縄の歴史」比嘉春潮
「豊見城村史」第9巻　第5節　ジョン万次郎と豊見城　仲地哲夫
「土佐漂着記」―現代語約本―　粟野慎一郎
「鹿児島県の歴史」
「ペリー日本遠征日記」MCペリー　木原悦子訳
「ジョン万次郎の英会話」乾　隆
「ジョン万次郎物語」川澄哲夫
「土佐史談　257号　中浜万次郎特集号」
「万次郎とユニテリアン思想」平野貞夫
「近世・土佐藩における異国船漂着とその対応」田村公利

「艦長の琉球」とジョン万次郎　當眞嗣吉
「ジョン・M・ブルック日記」　水田耕吉
「ジョン万次郎と日米親善外交（戦前編）塚本宏
「世界を日本に」中村嘉寿

外国文献

「The Life and Time of John Manjiro」Donald R. Bernard
「The Life and Time of John Manjiro」Donald R. Bernard
「Brooke JohnM.Brooke’s Pacific Cruise and Japanese Adventure」George M.Brooke,JR.
「The Friend」Samuel C.Damon

著者紹介

神 谷 良 昌(かみや よしまさ)

昭和31年 沖縄県糸満市字国吉に生まれる
昭和50年 沖縄県立糸満高校卒業
昭和51年 派米農業研修生として米国ビッグベント大学で英語を学ぶ
昭和52年 ネブラスカ州立大学で畜産学を学ぶ
昭和56年 糸満市役所に採用
平成29年 糸満市役所・教育委員会総務部長で定年退職
平成29年 沖縄県スポーツ協会

【著書】 『琉球に上陸したジョン万次郎』共著:儀間比呂志(沖縄タイムス社)
『帰米二世・ナンシー夏子の青春』(琉球新報社)
【翻訳】 大塚勝久写真集『南の風』『沖縄の心』他

ジョン万次郎　琉球上陸の軌跡

二〇二一年四月一四日初版第一刷発行

著　者　神谷良昌
発行者　玻名城泰山
発行所　琉球新報社
〒九〇〇‐〇〇一二
沖縄県那覇市泉崎一―一〇―三
電　話（〇九八）八六五―五一〇〇
ＦＡＸ（〇九八）八六八―六〇六五
問合せ　琉球新報社読者事業局出版部
発　売　琉球プロジェクト
電　話（〇九八）八六八―一一四一
印刷所　新星出版株式会社

ISBN978-4-89742-265-7
定価はカバーに表示してあります。